# ARTÍCULOS DE COSTUMBRES

COLECCIÓN AUSTRAL
N.º 306

# LARRA

# ARTÍCULOS
# DE COSTUMBRES

**ANTOLOGÍA DISPUESTA Y PROLOGADA POR**
**AZORÍN**

DECIMOSÉPTIMA EDICIÓN

**ESPASA-CALPE, S. A.**
**MADRID**

*Ediciones especialmente preparadas para*

## COLECCIÓN AUSTRAL

| | | | |
|---|---|---|---|
| *Primera edición:* | 16 - | VI | - 1942 |
| *Segunda edición:* | 10 - | X | - 1945 |
| *Tercera edición:* | 12 - | VI | - 1948 |
| *Cuarta edición:* | 27 - | IV | - 1950 |
| *Quinta edición:* | 11 - | III | - 1952 |
| *Sexta edición:* | 10 - | IX | - 1952 |
| *Séptima edición:* | 20 - | X | - 1958 |
| *Octava edición:* | 25 - | IX | - 1963 |
| *Novena edición:* | 18 - | IX | - 1966 |
| *Décima edición:* | 19 - | VII | - 1969 |
| *Undécima edición:* | 26 - | VI | - 1973 |
| *Duodécima edición:* | 31 - | III | - 1975 |
| *Decimotercera edición:* | 16 - | XI | - 1977 |
| *Decimocuarta edición:* | 13 - | IV | - 1978 |
| *Decimoquinta edición:* | 4 - | III | - 1980 |
| *Decimosexta edición:* | 17 - | VI | - 1981 |
| *Decimoséptima edición:* | 15 - | XII | - 1981 |

—

*Dépósito legal: M. 41.646—1981*

*ISBN 84—239—0306—0*

*Impreso en España*
*Printed in Spain*

*Acabado de imprimir el día 15 de diciembre de 1981*

*Talleres gráficos de la Editorial Espasa-Calpe, S. A.*
*Carretera de Irún, km. 12,200. Madrid-34*

# INDICE

# COMENTO A LARRA

Mariano José de Larra ha vivido veintiocho años. Nace en 1809 y muere en 1837. En menos de tres décadas —faltan dos años para estar cumplidas— ocurren cosas en la vida de Larra que hacen pletórica de espíritu y de actividad esa vida. En menos de tres décadas encontramos lo siguiente: una niñez repartida entre España y Francia; aprende Mariano José el castellano en España —nativamente— y lo olvida en Francia; torna a España y deja el francés y vuelve al castellano; la infancia es solitaria, despegada de la madre; no tiene la madre, en este caso, la influencia profunda que en otros muchos. Federico Nietzsche, por ejemplo, es dos veces niño: una cuando lo es como todos lo hemos sido, y otra cuando en Turín pierde la razón; es loco mansamente; su madre vuelve a cuidarle como se cuida a un niño, y lo lleva de la mano como se lleva a un niño. La madre, siempre presente en el espíritu de Nietzsche, acaso inspira —sin que Nietzsche lo sepa— esa penetración femenina del filósofo, esta su sagacidad femenina en el análisis y esta innata repugnancia a contaminarse en los espectáculos groseros y su oposición a la truculencia que trastorna el sereno pensar. En Larra, contrariamente al caso de Nietzsche, la madre falta; en Larra, que tiene rasgos de Nietzsche, el cambio es brusco; la decisión impetuosa, el trastorno en determinado momento de toda la sensibilidad —su muerte es un súbito trastorno— se van advirtiendo desde el primer instante.

La relación de lo que encontramos en las tres apocadas décadas sigue: educación en tres o cuatro colegios, educación sin el hálito familiar; viajes por España; lecturas copiosas y desordenadas; influencia —ésta decisiva— del padre sobre el niño y el adolescente; el padre es un tipo curioso, estrafalario, leído, culto, propenso a la extravagancia; afrancesado con José Bonaparte; expatriado en Francia, tornado con la amnistía a España. Grave, por una parte, e irrisorio por otra; profesando la Medicina

escrupulosamente y no creyendo en la Medicina; viajero
al azar por media Europa; afanándose en colocarse fuera
de las convenciones sociales, y siendo al mismo tiempo un
fiel observante de esas convenciones, a tal punto que se le
dedica un recuerdo mural —lápida conmemorativa— en el
hospital en que ha servido. Encontramos más en las tres
encogidas décadas: vida de Mariano José metódica hasta
cierto punto; vida de un empleado sujeta al horario ofi-
cinesco; manumisión de esa servidumbre burocrática y re-
nombre en los periódicos; sus escritos, los de Mariano José,
comienzan a ser celebrados por las gentes; matrimonio infeliz de Mariano; agrado por la vida fácil y cómoda; gusto
en vestir con elegancia; frecuentación de teatros, cafés,
tertulias y algún salón literario; viajes por Francia, Portugal, Bélgica, Inglaterra; amistad íntima con un aristócrata, el conde de Campo Alange; amistad también con
otro aristócrata, el marqués de Molíns, con quien emprende
la redacción de un drama; contrato ventajoso con una empresa periodística; su nombre ya ilustre; ilustre y temido;
temida su pluma acaso más que amada; si no temida generalmente, sí generalmente en discordancia con el común
de los lectores, y desde luego con sus compañeros, ya pa-
ladina o ya solapadamente; elecciones legislativas en que
Larra es elegido diputado; motín que hace anular esas elecciones y Larra se queda sin acta...

Tales son, a grandes rasgos, los veintiocho años de Larra. Casi toda la labor de Larra es periodística: labor al
día, rápida, viva, fugaz. Ha escrito Larra artículos que
forman tres o cuatro volúmenes. Como frecuenta los teatros y muchos de sus compañeros son comediógrafos, escribe Larra también para el teatro. La obra teatral de
Larra consiste en un gran drama romántico en cuatro actos, *Macías*, y en varios arreglos del francés. (En tiempo
de Larra todo el mundo arregla algo; todos se cuelan en
la morada de Scribe como Pedro por su casa.) La novela
ha tentado también a Larra, y nuestro autor ha escrito también una novela. Ni teatro ni novela señalan el paso de
Larra por la literatura. Lo definitivo —lo que se supone
que lo es— se cambia aquí en lo efímero, y lo efímero
—el artículo diario— se convierte en lo definitivo. La sensibilidad de Larra evoluciona dentro y a lo largo de esas
hojas cotidianas y volanderas.

¿Y cómo es la sensibilidad de Larra? Hablamos, al mentar a Larra, de sensibilidad, y eso es, en efecto, Larra
entero: una sensibilidad, una sensibilidad agudizada, exal-
tada, más que una inteligencia serena y discernidora.
Cuando se lee a Larra atentamente, en horas de silencio
y de soledad, lectura para el propio lector y no para el

público, el ánimo queda conturbado y perplejo. ¿Dónde estamos? ¿Qué es esto? ¿Qué significan tantas idas y venidas, tantos cambios, y tantos trueques, y tantas contradicciones? Contradecirse —el contradecirse de un Goethe o de un Montaigne— no acusa insinceridad ni falsía; señala, sí, ese contradecirse, esa perpetua rectificación de lo ya dicho, una profunda vida espiritual; sólo quien esté desposeído de imaginación y de curiosidad desinteresada podrá subsistir siempre en un mismo ser, igual a sí mismo, idéntico a los setenta años que a los treinta. Pero el hervidero de ideas, y más que de ideas de sensaciones en Larra, nos desconcierta. ¿Cómo podremos armonizar esta muchedumbre de matices opuestos? Hagamos un esfuerzo para intentarlo. Digamos antes que se engañarán quienes tengan a Larra por revolucionario, del mismo modo que se engañarán quienes lo tengan por reaccionario. El texto más expresivo que podemos citar de Larra es el siguiente: "Porque asirnos de los cabellos y arrojarnos violentamente en el término del viaje es quitarnos también la libertad; y así es esclavo el que pasear no puede, como aquel a quien fuerzan a caminar cien leguas en un día."

Larra ha vivido poco; andando el tiempo, toda la incoherencia de su pensar se hubiera seguramente coordinado. El padre, con su inquietud, está presente en Larra. La madre, quisiéramos que hubiera sido al igual que la madre de Nietzsche; la madre de Larra, con su lejanía, con su despego, está también presente, aunque de otra manera. (El padre de Larra se casó en segundas nupcias con una mujer mucho más joven que él; nació de este matrimonio Mariano José.) Como si fuera Larra un precioso fruto recubierto de varias cortezas, más o menos consistentes, vamos poco a poco, con cuidado, quitando impedimentos para llegar al núcleo. Lo primero que se da en Larra —forzosamente, fatalmente— es una oposición entre su persona y el ambiente político en que Larra vive. El Estado es lo más aparente en una nación; el Estado es lo primero con que se choca o lo primero que se acepta; Larra ha visto otros Estados que no son el español; Larra sabe de otras formas políticas. Y necesariamente, por encima de todo, en su crítica surge a cada momento, muchas veces sin que él se lo proponga, la pugna con el Estado. No con el Estado en abstracto —Larra no es un Max Stirner—, sino con determinado Estado; no ya con ese cierto Estado, sino contra las formas abusivas y las corruptelas de tal Estado. Toda la obra de Larra está llena de esta irritación difusa contra el Estado, irónicamente unas veces, sarcásticamente otras, con perfidia en ocasio-

nes, con reticencias, con tenues reticencias, cuando la censura avizora.

Pero lo político es lo periférico; hay algo más profundo;
existe otra corteza más consistente por debajo de la anterior. Nos encontramos en la segunda zona de Larra:
la zona social; la zona de las costumbres. En esa zona
en que el artista puede, sin mengua de su desinterés, de
su pureza —por lo menos sin mengua aparente—, crear
una obra de arte. Y una obra de arte —novela, cuento,
cuadro de costumbres— que con sólo la pintura, objeti-
vamente, condene o exalte toda una época o toda una
clase. También Mariano José está aquí, como anterior-
mente, en pugna con la sociedad que le rodea. Las raíces
de lo que le rodea Larra las ve en el pasado, en la Historia; tal vez en este punto Larra exagera; acaso su hos-
tilidad en la pintura, la pintura objetiva, le lleva a extremos inaceptables. ¿Por qué el castellano viejo, *el* castellano viejo y no *un* castellano viejo ha de ser como
Larra lo pinta, desabridamente, y no como nosotros los
pintaríamos, como nosotros lo hemos pintado?

Penetremos en la postrera zona de Mariano José; apartemos la tercera corteza que nos impide ver el núcleo
central. Nos hallamos en el ambiente de la familia, de la
vida familiar en España. Al caminar por esta región nos
sentimos entristecidos y doloridos. Larra no sólo se encuentra en pugna con el Estado y con la sociedad, sino
con la familia. Su propio caso se le hace deslizarse, sin
que él lo advierta acaso, a la dolorosa generalización. ¿Por
qué Larra no comprende que una esposa ajena puede
no amarle? ¿Por qué la norma social —en este caso tan
honda— no ha de ser respetada, y desde luego no la hemos de considerar superior a la transgresión? A los veintiocho años, querido por unos, temido por otros, adinerado,
pletórico de juventud, sano, teniendo en perspectiva un
magnífico porvenir, ¿cómo no ve Larra el abismo que él
mismo se abre y en que va a precipitarse? ¿Cómo puede
darse tal caso sin un desnivel enorme entre la sensibilidad y la inteligencia?

La prosa de Larra es limpia, clara, sin rezumos pedan-
tescos; hay una diferencia esencial entre esta prosa es-
pontánea y la prosa de un Miñano, de un Mesonero Romanos o de un Estébanez Calderón; en estos escritores
se percibe el libro, un libro que no conocemos, sea el que
sea, y en Larra no se advierte lectura alguna, sino que
estamos en contacto con la vida, con la sensación misma.
La gran innovación de Larra en la prosa, en las letras españolas, consiste precisamente en esta aportación de lo
espontáneo al libro.

Consecuencia inmediata del advenimiento de Larra a las letras: la exaltación de la personalidad, el individualismo irreductible; consecuencia de resultados incalculables en las letras, y consecuencia que ha de dominar en todo el siglo XIX. Larra es, en realidad, el gran romántico, grande, no por lo vistoso, no por el color, como el duque de Rivas; no por la cadencia, como Zorrilla; no por el ímpetu, como Espronceda, sino en cuanto a profundidad. ¿Cómo no habían de estar junto a Larra, por movimiento instintivo, a fines del siglo XIX quienes —con fondo romántico también— se colocaban frente a un Estado caduco, que perdía los restos de nuestro gran imperio colonial?

Hemos agrupado en este volumen lo más típico, lo más literario, lo más ajeno a la política de Mariano José de Larra. Nos hemos atenido al texto de 1837, puesto que esa edición, la segunda, está hecha según la voluntad de Larra. No se diga que hay supresiones en esos textos y que es preciso volver al texto primitivo, el de los periódicos. Si se dice eso y se practica, ¿por qué el señor Lomba y Pedraja, a quien aludimos, mete él a su vez la tijera en lo que reputa digresiones? ¿Acaso las digresiones no tendrán su valor psicológico, en uno u otro sentido, necesario para juzgar siempre al escritor?

AZORÍN

Madrid, noviembre 1941.

# SINCRONISMO DE LARRA

Los artículos de este volumen van de 1832 a 1836. Preciso es concordar los textos de Larra con los sucesos y las cosas de esos años; aunque la obra sea pura —no lo es enteramente la de Larra—, el ambiente ayuda a su comprensión.

1832, 1833, 1834. Enferma gravemente Fernando VII. Cea Bermúdez preside el Consejo de ministros. Amnistía por delitos políticos. Retorno de la confianza a los liberales. Muere el rey. Cristina es regente del reino. Cea Bermúdez continúa en la presidencia. Prólogo, en Talavera, de la guerra civil. Alzamiento carlista en Vasconia, Navarra y Aragón. Zumalacárregui. Martínez de la Rosa, presidente del Consejo. Poeta y orador dulce y persuasivo, no convincente; poeta con la afectación todavía de las églogas tradicionales y con la ternura —el sentimentalismo— del siglo XVIII; buena elegía, un poco larga, la de las "tristes márgenes del Sena", que para Martínez de la Rosa no fueron ciertamente tristes. El cólera en Madrid. Saqueo de conventos. Asesinatos horrendos de religiosos. El presidente del Consejo —y el Gobierno todo—, con los brazos cruzados. Algún convento estaba junto a un cuartel y las tropas permanecieron impasibles. La ternura de las poesías del presidente del Consejo no ha trascendido a la acción justiciera. Estatuto Real. Uniformes caprichosos para los nuevos diputados.

1835, 1836. Sublevación de un teniente —con las tropas— que se apodera, en la Puerta del Sol, de la Casa de Correos. Cae muerto en defensa del Estado el capitán general Canterac. Tratado de Elliot relativo al canje de prisioneros. Instancias a Inglaterra, Francia y Portugal para que ayuden a España, a Cristina, en su lucha contra el carlismo. Presidente del Consejo, no un tierno poeta, sino un historiador: el conde de Toreno. Francia, Inglaterra y Portugal envían unos miles de soldados. Muerte de Zumalacárregui por negligencia —intervención de un curandero— en el remedio. Asesinato en su despacho, en Barce-

*lona, del capitán general Bassa. Nuevas atrocidades contra los frailes.*

Mendizábal, de presidente del Consejo. Sor Patrocinio. Fusilamiento de la madre de Cabrera por los cristinos, y fusilamiento ordenado por Cabrera de cuatro esposas de jefes cristinos. Duelo a pistola entre Istúriz y Mendizábal. Mendizábal y la desamortización. Fracaso de la desamortización. Se enriquecen con ella acaparadores, logreros y negociantes. Don Francisco Javier de Istúriz, presidente, ahora, del Consejo. Amigo de Larra. Tipo curioso. Se consigna en alguna historia que, ya viejo Istúriz, estuvo en su casa de la plaza del Progreso, hoy de Tirso de Molina, seis años encerrado, sin querer salir ni un instante. Revuelta en Málaga y asesinato del comandante militar Saint-Just y el gobernador Donadío. Sigue la guerra. Elecciones generales; Larra, diputado, su deseo vehemente. Durante la noche, en La Granja, allanan unos soldados Palacio, vejan brutalmente a la reina y la obligan a firmar un decreto. Asesinato del capitán general de Madrid, Quesada. No hay esperanzas de que acabe la guerra.

Casas espaciosas de techo alto, destartaladas; escaleras amplias; Alfredo de Musset —no ha estado en Madrid— habla extrañamente de las "escaleras azules de España". Estuvo, sí, el marqués de Langle en Madrid; Langle, el amigacho de Aranda, en su Viaje de Fígaro, celebra, por su anchura y comodidad, las escaleras españolas. Sillas de enea con respaldo de lira, canapés donde recostarse la beldad y simular poética languidez; se pone de moda el estar pálida; crencha en medio y el pelo a los lados que cubre las orejas; dechados de colegialas en las paredes y cuadros de Vicente López, de Alenza o de Esquivel; el velón de azófar con cuatro mecheros y la cajita de plata para el rapé. Arriaza, el verdadero bardo patriótico, olvidado de todos, solitario en un café desierto. Quintana y el secreto —a voces— del cambio de dedicatoria de sus poesías de una edición a otra. Tertulia literaria con brasero debajo de la mesa y ponchera encima. La canción del triste Chactas; comedias de Bretón de los Herreros; celebración de santos, cumpleaños, Pascuas, etc., etc., y felicitaciones consiguientes y exactas, en persona o por carta y tarjeta. Capas y pantalones ajustados con trabilla. Fondas de Perona, de los Cisnes, etc. Diligencias que van a Bayona por Buitrago, Aranda de Duero, Burgos, Vitoria. Ópera: La ceneréntola, La gazza ladra, El barbero de Sevilla:

> Ecco ridente il celo,
> Spunta la bella aurora
> E tu non sorgi ancora
> E puoi dormir così?

Promesas que se cumplen y manos que se estrechan con sincera cordialidad. Lento coche simón, que permite practicar el más sabio de los adagios latinos: festina lente. Periódicos sin grandes titulares, sin títulos a dos o tres columnas y con noticias atrasadas de cuatro, seis u ocho días. Lo cual amortigua los sucesos y da al ambiente un tono dulce, suave, a pesar de la truculencia de esos sucesos. El escritor puede escribir serenamente su prosa y el poeta rimar con sosiego sus versos.

A.

## EL CASARSE PRONTO Y MAL

Así como tengo aquel sobrino de quien he hablado en mi artículo de empeños y desempeños, tenía otro no hace mucho tiempo, que en esto suele venir a parar el tener hermanos. Éste era hijo de una mi hermana, la cual había recibido aquella educación que se daba en España no hace ningún siglo; es decir, que en casa se rezaba diariamente el rosario, se leía la vida del santo, se oía misa todos los días; se trabajaba los de labor, se paseaba las tardes de los de guardar, se velaba hasta las diez, se estrenaba vestido el Domingo de Ramos, y andaba siempre señor padre, que entonces no se llamaba *papá*, con la mano más besada que reliquia vieja, y registrando los rincones de la casa, temeroso de que las muchachas, ayudadas de su cuyo, hubiesen a las manos algún libro de los prohibidos, ni menos aquellas novelas que, como solía decir, a pretexto de inclinar a la virtud, enseñan desnudo el vicio. No diremos que esta educación fuese mejor ni peor que la del día; sólo sabemos que vinieron los franceses, y como aquella buena o mala educación no estribaba en mi hermana en principios ciertos, sino en la rutina y en la opresión doméstica de aquellos terribles padres del siglo pasado, no fué necesaria mucha comunicación con algunos oficiales de la guardia imperial para echar de ver que si aquel modo de vivir era sencillo y arreglado, no era, sin embargo, el más divertido. ¿Qué motivo habrá, efectivamente, que nos persuada que debemos en esta corta vida pasarlo mal, pudiendo pasarlo mejor? Aficionóse mi hermana de las costumbres francesas, y ya no fué el pan pan, y el vino vino: casóse, y siguiendo en la famosa jornada de Vitoria la suerte del tuerto Pepe Botellas, que tenía dos ojos muy hermosos y nunca bebía vino, emigró a Francia.

Excusado es decir que adoptó mi hermana las ideas del siglo; pero como esta segunda educación tenía tan malos cimientos como la primera, y como quiera que esta débil

humanidad nunca sepa detenerse en el justo medio, pasó
del Año Cristiano a Pigault Lebrun, y se dejó de misas y
devociones, sin saber más ahora por qué las dejaba que
antes por qué las tenía. Dijo que el muchacho se había de
educar como convenía; que podría leer sin orden ni método cuanto libro le viniese a las manos, y qué sé yo qué
más cosas decía de la ignorancia y del fanatismo, de las
luces y de la ilustración, añadiendo que la religión era
un convenio social en que sólo los tontos entraban de buena fe, y del cual el muchacho no necesitaba para mantenerse bueno; que *padre* y *madre* eran cosa de brutos, y
que a *papá* y *mamá* se les debía tratar de tú, porque no
hay amistad que iguale a la que une a los padres con los
hijos (salvo algunos secretos que guardarán siempre los
segundos de los primeros, y algunos soplamocos que darán
siempre los primeros a los segundos): verdades todas que
respeto tanto o más que las del siglo pasado, porque cada
siglo tiene sus verdades, como cada hombre tiene su cara.

No es necesario decir que el muchacho, que se llamaba
Augusto, porque ya han caducado los nombres de nuestro
calendario, salió despreocupado, puesto que la despreocupación es la primera preocupación de este siglo.

Leyó, hacinó, confundió; fué superficial, vano, presu-
mido, orgulloso, terco, y no dejó de tomarse más rienda
de la que se le había dado. Murió, no sé a qué propósito,
mi cuñado, y Augusto regresó a España con mi hermana,
toda aturdida de ver lo brutos que estamos por acá todavía los que no hemos tenido como ella la dicha de emigrar,
y trayéndonos entre otras cosas noticias ciertas de cómo
no había Dios, porque eso se sabe en Francia de muy buena tinta. Por supuesto, que no tenía el muchacho quince
años y ya galleaba en las sociedades, y citaba, y se metía
en cuestiones, y era hablador y raciocinador como todo
muchacho bien educado; y fué el caso que oía hablar todos los días de aventuras escandalosas, y de los amores
de Fulanito con la Menganita, y le pareció, en resumidas
cuentas, cosa precisa para hombrear enamorarse.

Por su desgracia acertó a gustar a una joven, personita
muy educada también, la cual es verdad que no sabía
gobernar una casa, pero se embaulaba en el cuerpo, en
sus ratos perdidos, que eran para ella todos los días, una
novela sentimental con la más desatinada afición que en
el mundo jamás se ha visto: tocaba su poco de piano y
cantaba su poco de aria de vez en cuando, porque tenía
una bonita voz de contralto. Hubo guiños y apretones de-
sesperados de pies y manos, y varias epístolas recíproca-
mente copiadas de la nueva Eloísa; y no hay más que
decir sino que a los cuatro días se veían los dos inocentes

por la ventanilla de la puerta, y escurrían su correspondencia por las rendijas; sobornaban con el mejor fin del
mundo a los criados, y por último, un su amigo, que debía
de quererle muy mal, presentó al señorito en la casa. Para
colmo de desgracia, él y ella, que habían dado principio
a sus amores porque no se dijese que vivían sin su tra-
pillo, se llegaron a imaginar primero y a creer después
a pies juntillas, como se suele muy mal decir, que estaban verdadera y terriblemente enamorados. ¡Fatal credu-
lidad! Los parientes, que previeron en qué podría venir
a parar aquella inocente afición ya conocida, pusieron de
su parte todos los esfuerzos para cortar el mal, pero ya
era tarde. Mi hermana, en medio de su despreocupación
y de sus luces, nunca había podido desprenderse del todo
de cierta afición a sus ejecutorias y blasones, porque hay
que advertir dos cosas: primera, que hay despreocupados
por este estilo, y segunda, que somos nobles; lo que equi-
vale a decir que desde la más remota antigüedad nuestros
abuelos no han trabajado para comer. Conservaba mi hermana este apego a la nobleza, aunque no conservaba bienes; y ésta es una de las razones por qué estaba mi so-
brinito destinado a morirse de hambre si no se le hacía
meter la cabeza en alguna parte, porque eso de que hubiera aprendido un oficio, ¡oh!, ¿qué hubieran dicho los
parientes y la nación entera? Averiguóse, pues, que no
tenía la niña un origen tan preclaro, ni más dote que su
instrucción novelesca y sus *duettos*, fincas que no bastan
para sostener el boato de unas personas de su clase. Ave-
riguó también la parte contraria que el niño no tenía empleo, y dándosele un bledo de su nobleza, hubo aquello de
decirle: "Caballerito, ¿con qué objeto entra usted en mi
casa?" "Quiero a Elenita", respondió mi sobrino. "¿Y con
qué fin, caballerito?" "Para casarme con ella." "Pero no
tiene usted empleo ni carrera." "Eso es cuenta mía..." "Sus
padres de usted no consentirán..." Sí, señor; usted no conoce a mis papás." "Perfectamente: mi hija será de usted
en cuanto me traiga una prueba de que puede mantenerla
y el permiso de sus padres; pero en el ínterin, si usted
la quiere tanto, excuse por su mismo decoro sus visitas."
"Entiendo." "Me alegro, caballerito." Y quedó nuestro Or-
lando hecho una estatua, pero bien decidido a romper por
todos los inconvenientes.

Bien quisiéramos que nuestra pluma, mejor cortada, se
atreviese a trasladar al papel la escena de la niña con
la mamá; pero diremos, en suma, que hubo prohibición
de salir y de asomarse al balcón y de corresponder al mancebo, a todo lo cual la malva respondió con cuatro des-
vergüenzas acerca del libre albedrío y de la libertad de

la hija para escoger marido, y no fueron bastantes a di-
suadirla las reflexiones acerca de la ninguna fortuna de
su elegido: todo era para ella tiranía y envidia que los
papás tenían de sus amores y de su felicidad; concluyendo
que en los matrimonios era lo primero el amor, y que en
cuanto a comer, ni eso hacía falta a los enamorados, porque en ninguna novela se dice que coman las Amandas
y los Mortimers, ni nunca les habían de faltar unas so-
pas de ajo.

Poco más o menos fué la escena de Augusto con mi
hermana, porque aunque no sea legítima consecuencia,
también concluía de que los padres no deben tiranizar
a los hijos, que los hijos no deben obedecer a los padres:
insistía en que era independiente; que en cuanto a haberle criado y educado nada le debía, pues lo había hecho
por una obligación imprescindible, y a lo del ser que le
había dado, menos, pues no se lo había dado por él, sino
por las razones que dice nuestro Cadalso entre otras lindezas sutilísimas de este jaez.

Pero insistieron también los padres, y después de haber intentado infructuosamente varios medios de seducción y rapto, no dudó nuestro paladín, vista la obstinación
de las familias, en recurrir al medio en boga de sacar
a la niña por el vicario: púsose el plan en ejecución, y
a los quince días mi sobrino había reñido ya decididamente con su madre; había sido arrojado de su casa, privado de sus cortos alimentos, y Elena depositada en poder
de una potencia neutral; pero se entiende, de esta especie de neutralidad que se usa en el día, de suerte que
nuestra Angélica y Medoro se veían más cada día y se
amaban más cada noche. Por fin amaneció el día feliz;
otorgóse la demanda; un amigo prestó a mi sobrino algún
dinero, uniéronse con el lazo conyugal, estableciéronse en
su casa, y nunca hubo felicidad igual a la que aquellos
buenos hijos disfrutaron mientras duraron los pesos duros del amigo.

Pero ¡oh dolor!, pasó un mes y la niña no sabía más
que acariciar a su Medoro, cantarle un aria, ir al teatro
y bailar una mazurca; y Medoro no sabía más que disputar.
Ello sin embargo, el amor no alimenta, y era indispensable buscar recursos.

Mi sobrino salía de mañana a buscar dinero, cosa más
difícil de encontrar de lo que parece, y la vergüenza de
no poder llevar a su casa con qué dar de comer a su mujer
le detenía hasta la noche... Pasemos un velo sobre las
escenas horribles de tan amarga posición. Mientras que
Augusto pasa el día lejos de ella en sufrir humillaciones,
la infeliz consorte gime luchando entre los celos y la rabia.

Todavía se quieren, pero en casa donde no hay harina
todo es mohina; las más inocentes expresiones se inter-
pretan en la lengua del mal humor como ofensas mortales;
el amor propio ofendido es el más seguro antídoto del
amor, y las injurias acaban de apagar un resto de la
antigua llama que amortiguada en ambos corazones ardía;
se suceden unos a otros los reproches, y el infeliz Augusto insulta a la mujer que le ha sacrificado su familia y
su suerte, echándole en cara aquella desobediencia a la
cual no ha mucho tiempo él mismo la inducía: a los con-
tinuos reproches se sigue en fin el odio.

¡Oh si hubiera quedado aquí el mal! Pero un resto de
honor mal entendido que bulle en el pecho de mi sobrino,
y que le impide prestarse para sustentar a su familia
a ocupaciones groseras, no le impide precipitarse en el
juego, y en todos los vicios y bajezas, en todos los peligros, que son su consecuencia. Corramos de nuevo, corramos un velo sobre el cuadro a que dió la locura la primera pincelada, y apresurémonos a dar nosotros la última.

En este miserable estado pasan tres años, y ya tres
hijos más rollizos que sus padres alborotan la casa con
sus juegos infantiles. Ya el himeneo y las privaciones
han roto la venda que ofuscaba la vista de los infelices:
aquella amabilidad de Elena es coquetería a los ojos de
su esposo, su noble orgullo insufrible altanería, su garru-
lidad divertida y graciosa locuacidad insolente y cáustica;
sus ojos brillantes se han marchitado, sus encantos están
ajados, su talle perdió sus esbeltas formas, y ahora conoce que sus pies son grandes y sus manos feas: ninguna
amabilidad, pues, para ella, ninguna consideración. Augusto no es a los ojos de su esposa aquel hombre amable
y seductor, flexible y condescendiente; es un holgazán, un
hombre sin ninguna habilidad, sin talento alguno, celoso
y soberbio, déspota y no marido..., en fin, ¡cuánto más
vale el amigo generoso de su esposo, que les presta dinero, y les promete aún protección! ¡Qué movimiento en
él!, ¡qué actividad!, ¡qué heroísmo!, ¡qué amabilidad!,
¡qué adivinar los pensamientos y prevenir los deseos!, ¡qué
no permitir que ella trabaje en labores groseras!, ¡qué asi-
duidad, y qué delicadeza en acompañarla los días enteros
que Augusto la deja sola!, qué interés, en fin, el que se
toma cuando le descubre por su bien que su marido se dis-
trae con otra!...

¡Oh poder de la calumnia y de la miseria! Aquella mujer que si hubiera escogido un compañero que la hubiese
podido sostener hubiera sido acaso una Lucrecia, sucum-
be por fin a la seducción y a la falaz esperanza de mejor
suerte.

Una noche vuelve mi sobrino a su casa; sus hijos están solos. "¿Y mi mujer?, ¿y sus ropas?" Corre a casa de su amigo. "¿No está en Madrid? ¡Cielos! ¡Qué rayo de luz! ¿Será posible?" Vuela a la policía: se informa. Una joven de tales señas con un supuesto hermano han salido en la diligencia para Cádiz. Reúne mi sobrino sus pocos muebles, los vende, toma un asiento en el primer carruaje, y hétele persiguiendo a los fugitivos. Pero le llevan mucha ventaja, y no es posible alcanzarlos hasta el mismo Cádiz. Llegan: son las diez de la noche, corre a la fonda que le indican, pregunta, sube precipitadamente la escalera, le señalan un cuarto cerrado por dentro; llama; la voz que le responde le es harto conocida y resuena en su corazón; redobla los golpes; una persona desnuda levanta el pestillo. Augusto ya no es un hombre, es un rayo que cae en la habitación; un chillido agudo le convence de que le han conocido; asesta una pistola, de dos que trae, al seno de su amigo, y el seductor cae revolcándose en su sangre; persigue a su miserable esposa, pero una ventana inmediata se abre, y la adúltera, poseída del terror y de la culpa, se arroja sin reflexionar en una altura de más de sesenta varas. El grito de la agonía le anuncia su última desgracia y la venganza más completa; sale precipitado del teatro del crimen, y encerrándose, antes de que lo sorprendan, en su habitación, coge aceleradamente la pluma, y apenas tiene tiempo para dictar a su madre la carta siguiente:

"Madre mía, dentro de media hora no existiré: cuidad de mis hijos, y si queréis hacerlos verdaderamente despreocupados empezad por instruirlos... Que aprendan en el ejemplo de su padre a respetar lo que es peligroso despreciar sin tener antes más sabiduría. Si no les podéis dar otra cosa mejor, no les quitéis una religión consoladora. Que aprendan a domar sus pasiones y a respetar a aquellos a quienes lo deben todo. Perdonadme mis faltas: harto castigado estoy con mi deshonra y mi crimen; harto cara pago mi falsa despreocupación. Perdonadme las lágrimas que os hago derramar. Adiós para siempre."

Acabada esta carta, se oyó otra detonación que resonó en toda la fonda, la catástrofe que le sucedió me privó para siempre de un sobrino, que con el más bello corazón se ha hecho desgraciado a sí y a cuantos le rodean.

No hace dos horas que mi desgraciada hermana, después de haber leído aquella carta, y llamándome para mostrármela, postrada en su lecho y entregada al más funesto delirio, ha sido desahuciada por los médicos.

*Hijo..., despreocupación..., boda... Religión..., infeliz...,* son las palabras que van errantes sobre sus labios mori-

bundos. Y esta funesta impresión, que domina en mis
sentidos tristemente, me ha impedido dar hoy a mis lectores otros artículos más joviales que para mejor ocasión
les tengo reservados.

1832.

# EL CASTELLANO VIEJO

Ya en mi edad pocas veces gusto de alterar el orden
que en mi manera de vivir tengo hace tiempo establecido,
y fundo esta repugnancia en que no he abandonado mis
lares ni un solo día para quebrantar mi sistema, sin que
haya sucedido el arrepentimiento más sincero al desva-
necimiento de mis engañadas esperanzas. Un resto con
todo eso del antiguo ceremonial que en su trato tenían
adoptado nuestros padres, me obliga a aceptar a veces
ciertos convites a que parecería el negarse grosería, o por
lo menos ridícula afectación de delicadeza.

Andábame días pasados por esas calles a buscar materiales para mis artículos. Embebido en mis pensamientos, me sorprendí varias veces a mí mismo riendo como
un pobre hombre de mis propias ideas y moviendo ma-
quinalmente los labios; algún tropezón me recordaba de
cuando en cuando que para andar por el empedrado de
Madrid no es la mejor circunstancia la de ser poeta ni
filósofo; más de una sonrisa maligna, más de un gesto
de admiración de los que a mi lado pasaban, me hacía
reflexionar que los soliloquios no se deben hacer en público; y no pocos encontrones que al volver las esquinas
di con quien tan distraída y rápidamente como yo las
doblaba, me hicieron conocer que los distraídos no entran en el número de los cuerpos elásticos, y mucho
menos de los seres gloriosos e impasibles. En semejante
situación de mi espíritu, ¿qué sensación no debería pro-
ducirme una horrible palmada que una gran mano, pegada (a lo que por entonces entendí) a un grandísimo
brazo, vino a descargar sobre uno de mis hombros, que
por desgracia no tienen punto alguno de semejanza con
los de Atlante?

No queriendo dar a entender que desconocía este enér-
gico modo de anunciarse, ni desairar el agasajo de quien
sin duda había creído hacérmele más que mediano, de-
jándome torcido para todo el día, traté sólo de volverme
por conocer quién fuese tan mi amigo para tratarme tan
mal; pero mi castellano viejo es hombre que cuando está
de gracias no se ha de dejar ninguna en el tintero.

¿Cómo diría el lector que siguió dándome pruebas de confianza y cariño? Echóme las manos a los ojos, y sujetándome por detrás, ¿quién soy?, gritaba, alborozado con el buen éxito de su delicada travesura. —¿Quién soy? —Un animal, iba a responderle; pero me acordé de repente de quién podría ser, y sustituyendo cantidades iguales —*Braulio eres,* le dije. Al oírme, suelta sus manos, ríe, se aprieta los ijares, alborota la calle, y pónenos a entrambos en escena. —¡Bien, mi amigo! ¿Pues en qué me has conocido? —¿Quién pudiera sino tú...? —¿Has venido ya de tu Vizcaya? —No, Braulio, no he venido. —Siempre el mismo genio. ¿Qué quieres?, es la pregunta del español. ¡Cuánto me alegro de que estés aquí! ¿Sabes que mañana son mis días? —Te los deseo muy felices. —Déjate de cumplimientos entre nosotros; ya sabes que yo soy franco y castellano viejo: el pan pan, y el vino vino; por consiguiente exijo de ti que no vayas a dármelos; pero estás convidado. —¿A qué? —A comer conmigo. —No es posible. —No hay remedio. —No puedo, insisto ya temblando. —¿No puedes? —Gracias. —¿Gracias? Vete a paseo: amigo, como no soy el duque de F., ni el conde de P... —¿Quién se resiste a una sorpresa de esa especie?, ¿quién quiere parecer vano? —No es eso, sino que... —Pues si no es eso, me interrumpe, te espero a las dos; en casa se come a la española; temprano. Tengo mucha gente: tendremos al famoso X., que nos improvisará de lo lindo; T. nos cantará de sobremesa con su gracia natural; y por la noche J. cantará y tocará alguna cosilla. —Esto me consoló algún tanto, y fué preciso ceder: un día malo, dije para mí, cualquiera lo pasa; en este mundo para conservar amigos es preciso tener el valor de aguantar sus obsequios. —No faltarás, si no quieres que riñamos. —No faltaré, dije con voz exánime y ánimo decaído, como el zorro que se revuelve inútilmente dentro de la trampa donde se ha dejado coger. —Pues, hasta mañana; y me dió un torniscón por despedida. Vile marchar como el labrador ve alejarse la nube de su sembrado, y quedéme discurriendo cómo podían entenderse estas amistades tan hostiles y tan funestas.

Ya habrá conocido el lector, siendo tan perspicaz como yo le imagino, que mi amigo Braulio está muy lejos de pertenecer a lo que se llama gran mundo y sociedad de buen tono, pero no es tampoco un hombre de la clase inferior, puesto que es un empleado de los de segundo orden, que reúne entre su sueldo y su hacienda cuarenta mil reales de renta; que tiene una cintita atada al ojal y una crucecita a la sombra de la solapa; que es

persona, en fin, cuya clase, familia y comodidades de
ninguna manera se oponen a que tuviese una educación
más escogida y modales más suaves e insinuantes. Mas
la vanidad le ha sorprendido por donde ha sorprendido
casi siempre a toda o a la mayor parte de nuestra clase
media, y a toda nuestra clase baja. Es tal su patriotismo,
que dará todas las lindezas del extranjero por un dedo
de su país. Esta ceguedad le hace adoptar todas las res-
ponsabilidades de tan inconsiderado cariño; de paso que
defiende que no hay vinos como los españoles, en lo cual
bien puede tener razón, defiende que no hay educación
como la española, en lo cual bien pudiera no tenerla; a
trueque de defender que el cielo de Madrid es purísimo,
defenderá que nuestras manolas son las más encantado-
ras de todas las mujeres: es un hombre, en fin, que vive
de exclusivas, a quien le sucede poco más o menos lo que
a una parienta mía, que se muere por las jorobas, sólo
porque tuvo un querido que llevaba una excrecencia bastante visible sobre entrambos omoplatos.

No hay que hablarle, pues, de estos usos sociales, de
estos respetos mutuos, de estas reticencias urbanas, de
esa delicadeza de trato que establece entre los hombres
una preciosa armonía, diciendo sólo lo que debe agradar
y callando siempre lo que puede ofender. Él se muere
por plantarle una fresca al lucero del alba, como suele
decir, y cuando tiene un resentimiento se le *espeta a uno
cara a cara:* como tiene trocados todos los frenos, dice
de los cumplimientos que ya sabe lo que quiere decir
*cumplo* y *miento;* llama a la urbanidad hipocresía, y a
la decencia monadas; a toda cosa buena le aplica un mal
apodo; el lenguaje de la finura es para él poco más que
griego: cree que toda la crianza está reducida a decir
*Dios guarde a ustedes* al entrar en una sala, y añadir
*Con permiso de usted* cada vez que se mueve; a preguntar
a cada uno por toda su familia, y a despedirse de todo
el mundo; cosas todas que así se guardará él de olvidarlas
como de tener pacto con franceses. En conclusión, hombres de estos que no saben levantarse para despedirse
sino en corporación con alguno o algunos otros, que han
de dejar humildemente debajo de una mesa su sombrero,
que llaman *su cabeza,* y que cuando se hallan en sociedad
por desgracia sin un socorrido bastón, darían cualquier
cosa por no tener manos ni brazos, porque en realidad
no saben dónde ponerlos, ni qué cosa se puede hacer con
los brazos en una sociedad.

Llegaron las dos, y como yo conocía ya a mi Braulio,
no me pareció conveniente acicalarme demasiado para ir
a comer; estoy seguro de que se hubiera picado; no quise,

sin embargo, excusar un frac de color y un pañuelo blanco, cosa indispensable en un día de días en semejantes casas: vestíme sobre todo lo más despacio que me fué posible, como se reconcilia al pie del suplicio el infeliz reo, que quisiera tener cien pecados más cometidos que contar para ganar tiempo; era citado a las dos, y entré en la sala a las dos y media.

No quiero hablar de las infinitas visitas ceremoniosas que antes de la hora de comer entraron y salieron en aquella casa, entre las cuales no eran de despreciar todos los empleados de su oficina con sus señoras y sus niños, y sus capas, y sus paraguas, y sus chanclos, y sus perritos; déjome en blanco los necios cumplimientos que dijeron al señor de los días; no hablo del inmenso círculo con que guarnecía la sala el concurso de tantas personas heterogéneas, que hablaron de que el tiempo iba a mudar, y de que en invierno suele hacer más frío que en verano. Vengamos al caso: dieron las cuatro, y nos hallamos solos los convidados. Desgraciadamente para mí, el señor de X., que debía divertirnos tanto, gran conocedor de esta clase de convites, había tenido la habilidad de ponerse malo aquella mañana; el famoso T. se hallaba oportunamente comprometido para otro convite, y la señorita que tan bien había de cantar y tocar estaba ronca en tal disposición que se asombraba ella misma de que se la entendiese una sola palabra, y tenía un panadizo en un dedo. ¡Cuántas esperanzas desvanecidas!

—Supuesto que estamos los que hemos de comer, exclamó don Braulio, vamos a la mesa, querida mía. —Espera un momento, le contestó su esposa, casi al oído; con tanta visita yo he faltado algunos momentos de allá dentro, y... —Bien, pero mira que son las cuatro... —Al instante comeremos.

Las cinco eran cuando nos sentábamos a la mesa.

—Señores, dijo el anfitrión al vernos titubear en nuestras respectivas colocaciones, exijo la mayor franqueza: en mi casa no se usan cumplimientos. ¡Ah, Fígaro, quiero que estés con toda comodidad; eres poeta; y además, estos señores, que saben nuestras íntimas relaciones, no se ofenderán si te prefiero; quítate el frac, no sea que le manches! —¿Qué tengo de manchar?, le respondí, mordiéndome los labios. —No importa, te daré una chaqueta mía; siento que no haya para todos. —No hay necesidad. —¡Oh, sí, sí, mi chaqueta! Toma, mírala; un poco ancha te vendrá. —Pero, Braulio... —No hay remedio; no te andes con etiquetas; y en esto me quita él mismo el frac, *velis nolis*, y quedo sepultado en una cumplida chaqueta rayada, por la cual sólo asomaba los pies y la cabeza, y cuyas mangas no me permitirían comer probablemente. Díle las gracias: ¡al fin, el hombre creía hacerme un obsequio!

Los días en que mi amigo no tiene convidados se contenta con una mesa baja, poco más que banqueta de zapatero, porque él y su mujer, como dice, ¿para qué quieren más? Desde la tal mesita, y como se sube el agua del pozo, hace subir la comida hasta la boca, adonde llega goteando después de una larga travesía; porque pensar que estas gentes han de tener una mesa regular, y estar cómodos todos los días del año, es pensar en lo excusado. Ya se concibe, pues, que la instalación de una gran mesa de convite era un acontecimiento en aquella casa; así que se había creído capaz de contener catorce personas que éramos una mesa donde apenas podrían comer ocho cómodamente. Hubimos de sentarnos de medio lado como quien va a arrimar el hombro a la comida, y entablaron los codos de los convidados íntimas relaciones entre sí con la más fraternal inteligencia del mundo. Colocáronme por mucha distinción entre un niño de cinco años, encaramado en unas almohadas que era preciso enderezar a cada momento porque las ladeaba la natural turbulencia de mi joven adlátere, y entre uno de esos hombres que ocupan en el mundo el espacio y sitio de tres, cuya corpulencia por todos lados se salía de madre de la única silla en que se hallaba sentado, digámoslo así, como en la punta de una aguja. Desdobláronse silenciosamente las servilletas, nuevas a la verdad, porque tampoco eran muebles en uso para todos los días, y fueron izadas por todos aquellos buenos señores a los ojales de sus fraques como cuerpos intermedios entre las salsas y las solapas.

—Ustedes harán penitencia, señores, exclamó el anfitrión, una vez sentado; pero hay que hacerse cargo de que no estamos en Genieys; frase que creyó preciso decir. Necia afectación es ésta, si es mentira, dije yo para mí; y si verdad, gran torpeza convidar a los amigos a hacer penitencia. Desgraciadamente, no tardé mucho en conocer que había en aquella expresión más verdad de la que mi buen Braulio se figuraba. Interminables y de mal gusto fueron los cumplimientos con que para dar y recibir cada plato nos aburrimos unos a otros. —Sírvase usted. —Hágame usted el favor. —De ninguna manera. —No lo recibiré. —Páselo usted a la señora. —Está bien ahí. —Perdone usted. —Gracias. —Sin etiqueta, señores, exclamó Braulio, y se echó el primero con su propia cuchara. Sucedió a la sopa un cocido surtido de todas las sabrosas impertinencias de este engorrosísimo

aunque buen plato; cruza por aquí la carne; por allá la
verdura; acá los garbanzos; allá el jamón; la gallina por
derecha; por medio el tocino; por izquierda los embuchados de Extremadura; siguióle un plato de ternera
mechada, que Dios maldiga, y a éste otro y otros y otros;
mitad traídos de la fonda, que esto basta para que ex-
cusemos hacer su elogio; mitad hechos en casa por la
criada de todos los días, por una vizcaína auxiliar tomada al intento para aquella festividad y por el ama
de la casa, que en semejantes ocasiones debe estar en
todo, y por consiguiente suele no estar en nada.

—Este plato hay que disimularle, decía ésta de unos pi-
chones; están un poco quemados. —Pero, mujer... —Hombre, me aparté un momento, y ya sabes lo que son las
criadas. —¡Qué lástima que este pavo no haya estado
media hora más al fuego! Se puso algo tarde. —¿No les
parece a ustedes que está algo ahumado este estofado?
—¿Qué quieres? Una no puede estar en todo. —¡Oh, está
excelente, exclamábamos todos, dejándonoslo en el plato,
excelente! —Este pescado está pasado. —Pues en el despacho de la diligencia del fresco dijeron que acababa de
llegar; ¡el criado es tan bruto! —¿De dónde se ha traído
este vino? —En eso no tienes razón porque se es... —Es ma-
lísimo. Estos diálogos cortos iban exornados con una in-
finidad de miradas furtivas del marido para advertirle
continuamente a su mujer alguna negligencia, queriendo
darnos a entender entrambos a dos que estaban muy al
corriente de todas las fórmulas que en semejantes casos
se reputan finura, y que todas las torpezas eran hijas
de los criados, que nunca han de aprender a servir. Pero
estas negligencias se repetían tan a menudo, servían tan
poco ya las miradas, que le fué preciso al marido recurrir
a los pellizcos y a los pisotones; y ya la señora, que a
duras penas había podido hacerse superior hasta entonces
a las persecuciones de su esposo, tenía la faz encendida
y los ojos llorosos. —Señora, no se incomode usted por
eso, le dijo el que a su lado tenía. —¡Ah!, les aseguro
a ustedes que no vuelvo a hacer estas cosas en casa; ustedes no saben lo que es esto; otra vez, Braulio, iremos a
la fonda y no tendrás... —Usted, señora mía, hará lo
que... —¡Braulio! ¡Braulio! Una tormenta espantosa estaba a punto de estallar; empero todos los convidados
a porfía probamos a aplacar aquellas disputas, hijas del
deseo de dar a entender la mayor delicadeza, para lo
cual no fué poca parte la manía de Braulio y la expresión concluyente que dirigió de nuevo a la concurren-
cia acerca de la inutilidad de los cumplimientos, que
así llama él al estar bien servido y al saber comer. ¿Hay

nada más ridículo que estas gentes que quieren pasar por
finas en medio de la más crasa ignorancia de los usos
sociales?, ¿que para obsequiarle le obligan a usted a
comer y beber por fuerza, y no le dejan medio de hacer
su gusto? ¿Por qué habrá gentes que sólo quieren comer
con alguna más limpieza los días de días?

A todo esto, el niño que a mi izquierda tenía hacía
saltar las aceitunas a un plato de magras con tomate,
y una vino a parar a uno de mis ojos, que no volvió a
ver claro en todo el día; y el señor gordo de mi derecha
había tenido la precaución de ir dejando en el mantel,
al lado de mi pan, los huesos de las suyas, y los de las
aves que había roído; el convidado de enfrente, que se
preciaba de trinchador, se había encargado de hacer la
autopsia de un capón, o sea, gallo, que esto nunca se
supo; fuese por la edad avanzada de la víctima, fuese
por los ningunos conocimientos anatómicos del victima-
rio, jamás parecieron las coyunturas. —Este capón no
tiene coyunturas, exclamaba el infeliz sudando y for-
cejando, más como quien cava que como quien trincha.
¡Cosa más rara! En una de las embestidas resbaló el
tenedor sobre el animal como si tuviera escama, y el
capón, violentamente despedido, pareció querer tomar su
vuelo como en sus tiempos más felices, y se posó en el
mantel tranquilamente, como pudiera en un palo de un
gallinero.

El susto fué general y la alarma llegó a su colmo
cuando un surtidor de caldo, impulsado por el animal
furioso, saltó a inundar mi limpísima camisa: levántase
rápidamente a este punto el trinchador con ánimo de
cazar el ave prófuga, y al precipitarse sobre ella, una
botella que tiene a la derecha, con la que tropieza su
brazo, abandonando su posición perpendicular, derrama
un abundante caño de Valdepeñas sobre el capón y el
mantel; corre el vino, auméntase la algazara, llueve la
sal sobre el vino para salvar el mantel; para salvar la
mesa se ingiere por debajo de él una servilleta, y una
eminencia se levanta sobre el teatro de tantas ruinas.
Una criada toda azorada retira el capón en el plato de
su salsa; al pasar sobre mí hace una pequeña inclinación,
y una lluvia maléfica de grasa desciende, como el rocío
sobre los prados, a dejar eternas huellas en mi pantalón
color de perla; la angustia y el aturdimiento de la criada
no conocen término; retírase atolondrada sin acertar con
las excusas; al volverse tropieza con el criado que traía
una docena de platos limpios y una salvilla con las copas
para los vinos generosos, y toda aquella máquina viene
al suelo con el más horroroso estruendo y confusión.

—¡Por San Pedro!, exclama dando una voz Braulio, di-
fundida ya sobre sus facciones una palidez mortal, al
paso que brota fuego el rostro de su esposa. —Pero sigamos, señores, no ha sido nada, añade volviendo en sí.

¡Oh honradas casas, donde un modesto cocido y un principio final constituyen la felicidad diaria de una familia,
huíd del tumulto de un convite de días! Sólo la costumbre de comer y servirse bien diariamente puede evitar
semejantes destrozos.

¿Hay más desgracias? ¡Santo cielo! ¡Sí, las hay para
mí, infeliz! Doña Juana, la de los dientes negros y amarillos, me alarga de su plato y con su propio tenedor
una fineza, que es indispensable aceptar y tragar; el
niño se divierte en despedir a los ojos de los concurren-
tes los huesos disparados de las cerezas; don Leandro
me hace probar el manzanilla exquisito, que he rehusa-
do, en su misma copa, que conserva las indelebles señales de sus labios grasientos; mi gordo fuma ya sin cesar
y me hace cañón de su chimenea; por fin, ¡oh última de
las desgracias!, crece el alboroto y la conversación; ron-
cas ya las voces piden versos y décimas, y no hay más
poeta que Fígaro. —Es preciso. —Tiene usted que decir
algo, claman todos. —Désele pie forzado; que diga una
copla a cada uno. —Yo le daré el pie: *A don Braulio
en este día*. —Señores, ¡por Dios! —No hay remedio —En
mi vida he improvisado. —No se haga usted el chiquito.
—Me marcharé. —Cerrar la puerta. —No sale de aquí
sin decir algo. Y digo versos, por fin, y vomito disparates, y los celebran, y crece la bulla y el humo y el infierno.

A Dios gracias, logro escaparme de aquel nuevo *Pan-
demonio*. Por fin, ya respiro el aire fresco y desemba-
razado de la calle; ya no hay necios, ya no hay castellanos viejos a mi alrededor.

¡Santo Dios, yo te doy gracias!, exclamo respirando,
como el ciervo que acaba de escaparse de una docena
de perros, y que oye ya apenas sus ladridos; para de
aquí en adelante no te pido riquezas, no te pido empleos, no honores; líbrame de los convites caseros y de
días de días; líbrame de estas casas en que es un convite un acontecimiento; en que sólo se pone la mesa decente para los convidados; en que creen hacer obsequios
cuando dan mortificaciones; en que se hacen finezas;
en que se dicen versos; en que hay niños; en que hay
gordos; en que reina, en fin, la brutal franqueza de los
castellanos viejos. Quiero que, si caigo de nuevo en ten-
taciones semejantes, me falte un *roastbeef*, desaparezca
del mundo el *beefsteak*, se anonaden los timbales de ma-

carrones, no haya pavos en Perigueux, ni pasteles en Perigord, se sequen los viñedos de Burdeos, y beban, en fin, todos menos yo la deliciosa espuma del champaña.

Concluída mi deprecación mental, corro a mi habitación a despojarme de mi camisa y de mi pantalón, reflexionando en mi interior que no son unos todos los hombres, puesto que los de un mismo país, acaso de un mismo entendimiento, no tienen las mismas costumbres, ni la misma delicadeza, cuando ven las cosas de tan distinta manera. Vístome y vuelvo a olvidar tan funesto día entre el corto número de gentes que piensan, que viven sujetas al provechoso yugo de una buena educación libre y desembarazada, y que fingen acaso estimarse y respetarse mutuamente para no incomodarse, al paso que las otras hacen ostentación de incomodarse, y se ofenden y se maltratan, queriéndose y estimándose tal vez verdaderamente.

1832.

## YO QUIERO SER CÓMICO

*Anch' io son pittore.*

No fuera yo Fígaro, ni tuviera esa travesura y maliciosa índole que malas lenguas me atribuyen, si no sacara a luz pública cierta visita que no ha muchos días tuve en mi propia casa.

Columpiábame en mi mullido sillón, de estos que dan vueltas sobre su eje, los cuales son especialmente de mi gusto por asemejarse en cierto modo a muchas gentes que conozco, y me hallaba en la mayor perplejidad sin saber cuál de mis numerosas apuntaciones elegiría para un artículo que me correspondía ingerir aquel día en la revista. Quería yo que fuese interesante sin ser mordaz, y conocía toda la dificultad de mi empeño, y sobre todo que fuese serio, porque no está siempre un hombre de buen humor, o de buen talante para comunicar el suyo a los demás. No dejaba de atormentarme la idea de que fuese histórico, y por consiguiente verídico, porque mientras yo no haga más que cumplir con las obligaciones de fiel cronista de los usos y costumbres de mi siglo, no se me podrá culpar de mal intencionado, ni de amigo de buscar pendencias por una sátira más o menos.

Hallábame, como he dicho, sin saber cuál de mis notas escogería por más inocente, y no encontraba por cierto mucho que escoger, cuando me deparó felizmente la casualidad materia sobrada para un artículo, al anunciarme mi criado a un joven que me quería hablar indispensablemente.

Pasó adelante el joven haciéndome una cortesía bastante zurda, como de hombre que necesita y estudia en la fisonomía del que le ha de favorecer sus gustos e inclinaciones, o su humor del momento para conformarse prudentemente con él; y dando tormento a los tirantes y rudos músculos de su fisonomía para adoptar una especie de careta que desplegase a mi vista sentimientos mezclados de afecto y de deferencia, me dijo con voz forzosamente sumisa y cariñosa:

—¿Es usted el redactor llamado Fígaro?...

—¿Qué tiene usted que mandarme?

—Vengo a pedirle un favor... ¡Cómo me gustan sus artículos de usted!

—Es claro... Si usted me necesita...

—Un favor de que depende mi vida acaso... ¡Soy un apasionado, un amigo de usted!

—Por supuesto..., siendo el favor de tanto interés para usted...

—Yo soy un joven...

—Lo presumo.

—Que quiero ser cómico, y dedicarme al teatro...

—¿Al teatro?

—Sí, señor... Como el teatro está cerrado ahora...

—Es la mejor ocasión.

—Como estamos en Cuaresma, y es la época de ajustar para la próxima temporada cómica, desearía que usted me recomendase...

—¡Bravo empeño! ¿A quién?

—Al Ayuntamiento.

—¡Hola! ¿Ajusta el Ayuntamiento?

—Es decir, a la empresa.

—¡Ah! ¿Ajusta la empresa?

—Le diré a usted... Según algunos, esto no se sabe..., pero... para cuando se sepa.

—En ese caso no tiene usted prisa, porque nadie la tiene...

—Sin embargo..., como yo quiero ser cómico...

—Cierto. ¿Y qué sabe usted? ¿Qué ha estudiado usted?

—¿Cómo? ¿Se necesita saber algo?

—No; para ser actor, ciertamente, no necesita usted saber cosa mayor...

—Por eso; yo no quisiera singularizarme; siempre es malo entrar con ese pie en una corporación.

—Ya le entiende a usted: usted quisiera ser **cómico**
aquí, y así será preciso examinarle por la pauta del país.
¿Sabe usted castellano?

—Lo que usted ve...; para hablar, las gentes me entienden...

—Pero la gramática y la propiedad, y...

—No, señor, no.

—Bien, ¡eso es muy bueno! Pero sabrá usted desgraciadamente el latín, y habrá estudiado humanidades, bellas
letras...

—Perdone usted.

—Sabrá de memoria los poetas clásicos, y los comprenderá, y podrá verter sus ideas en las tablas.

—Perdone usted, señor. Nada, nada. ¡Tan poco favor
me hace usted! Que me caiga muerto aquí si he leído
una sola línea de eso, ni he oído hablar tampoco..., mire
usted...

—No jure usted. ¿Sabe usted pronunciar con afectación todas las letras de una palabra, y decir unas voces
por otras, *actitud,* por *aptitud,* y *aptitud* por *actitud,*
*diferiencia* por *diferencia, háyamos* por *hayamos, drac-*
*mático* por *dramático,* y otras semejantes?...

—Sí, señor, sí; todo eso digo yo.

—Perfectamente; me parece que sirve usted para el
caso. ¿Aprendió usted historia?

—No, señor; no sé lo que es.

—Por consiguiente, no sabrá usted lo que son trajes,
ni épocas, ni caracteres históricos...

—Nada, nada; no, señor.

—Perfectamente.

—Le diré a usted..., en cuanto a trajes, ya sé que en
siendo muy antiguo siempre a la romana.

—Esto es: aunque sea griego el asunto.

—Sí, señor: si no es tan antiguo, a la antigua francesa
o a la antigua española; según..., ropilla, trusas, capacete,
acuchillados, etc. Si es más moderno o del día, levita a
la Utrilla en los calaveras, y polvos, casacón y media en
los padres.

—¡Ah, ah! Muy bien.

—Además, eso en el ensayo general se le pregunta al
galán o la dama, según el sexo de cada uno que lo pregunta, y conforme a lo que ellos tienen en sus arcas, así...

—¡Bravo!

—Porque ellos suelen saberlo.

—¿Y cómo presentará usted un carácter histórico?

—Mire usted: el papel lo dirá, y luego como el muerto
no se ha de tomar el trabajo de resucitar sólo para des-

mentirle a uno..., además que gran parte del público suele estar tan enterado como nosotros...

—¡Ah ya...! Usted sirve para el ejercicio. La figura es la que no...

—No es gran cosa; pero eso no es esencial.

—¿Y de educación, de modales y usos de sociedad, a qué altura se halla usted?

—Mal; porque si va a decir verdad, yo soy pobrecillo: yo era escribiente en una mala administración; me echaron por holgazán, y me quiero meter cómico; porque se me figura a mí que es oficio en que no hay nada que hacer...

—Y tiene usted razón.

—Todo lo hace el apunte, y..., por consiguiente, no conozco a esos señores usos de sociedad que usted dice, ni nunca traté a ninguno de ellos.

—Ni conocerá usted el mundo, ni el corazón humano.

—Escasamente.

—¿Y cómo representará usted tantos caracteres distintos?

—Le diré a usted: si hago de rey, de príncipe o de magnate, ahuecaré la voz, miraré por encima del hombro a mis compañeros, y mandaré con mucho imperio...

—Sin embargo, en el mundo esos personajes suelen ser muy afables y corteses, y como están acostumbrados, desde que nacen, a ser obedecidos a la menor indicación, mandan poco y sin dar gritos...

—Sí, pero ¡ya ve usted!, en el teatro es otra cosa.

—Ya me hago cargo.

—Por ejemplo: si hago un papel de juez, aunque esté delante de señoras o en casa ajena, no me quitaré el sombrero, porque en el teatro la justicia está dispensada de tener crianza; daré fuertes golpes en el tablado con mi bastón de borlas, y pondré cara de caballo, como si los jueces no tuviesen entrañas...

—No se puede hacer más.

—Si hago de delincuente, me haré el perseguido, porque en el teatro todos los reos son inocentes...

—Muy bien.

—Si hago un papel de pícaro, que ahora están en boga, cejas arqueadas, cara pálida, voz ronca, ojos atravesados, aire misterioso, apartes melodramáticos... Si hago un calavera, muchos brincos y zapatetas, carreritas de pies y lengua, vueltas rápidas y habla ligera... Si hago un barba, andaré a compás, como un juego de escarpias, me temblarán siempre las manos como perlático o descoyuntado; y aunque el papel no apunte más de cincuenta años, haré del tarato y decrépito, y apoyaré mucho la voz con

intención marcada en la moraleja, como quien dice a los
espectadores: "Allá va esto para ustedes."

—¿Tiene usted grandes calvas para las barbas?

—¡Oh!, disformes; tengo una que me coge desde las
narices hasta el colodrillo; bien que ésta la reservo para
las grandes solemnidades. Pero aun para diario tengo
otras, tales que no se me ve la cara con ellas.

—¿Y los graciosos?

—Esto es lo más fácil: estiraré mucho la pata, daré
grandes voces, haré con la cara y el cuerpo todos los
raros visajes y estupendas contorsiones que alcance, y
saldré vestido de arlequín...

—Usted hará furor.

—¡Vaya si haré! Se morirá el público de risa, y se
hundirá la casa a aplausos. Y especialmente, en toda
clase de papeles, diré directamente al público todos los
apartes, monólogos, gracias y parlamentos de intención
o lucimiento que en mi parte se presenten.

—¿Y memoria?

—No es cosa la que tengo; y aun ésa no la aprovecho,
porque no me gusta el estudio. Además, que eso es cuenta del apuntador. Si se descuida, se le lanzan de vez en
cuando un par de miradas terribles, como diciendo al
público: "¡Ven ustedes qué hombre!"

—Esto es; de modo que el apuntador vaya tirando del
papel como de una carreta, y sacándole a usted la relación del cuerpo como una cinta. De esa manera, y hablando él altito, tiene el público el placer de oír a un
mismo tiempo dos ejemplares de un mismo papel.

—Sí, señor: y, en fin, cuando uno no sabe su relación,
se dice cualquier tontería, y el público se la ríe. ¡Es tan
guapo el público!, ¡si usted viera!

—Ya sé ¡ya!

—Vez hay que en una comedia en verso añade uno
un párrafo en prosa: pues ni se enfada, ni menos lo
nota. Así es que no hay nada más común que añadir...

—¡Ya se ve que hacen muy bien! Pues, señor, usted
es cómico, y bueno. ¿Usted ha representado anterior-
mente?

—¡Vaya! En comedias caseras. He alborotado con el
*García* y el *Delincuente honrado*.

—No más, no más; le digo a usted que usted será cómico. Dígame usted: ¿sabrá usted hablar mal de los
poetas y despreciarlos, aunque no los entienda; alabar
las comedias por el lenguaje, aunque no sepa lo que
es, o por el verso más que no entienda siquiera lo que es
prosa?...

—¿Pues no tengo de saber, señor? Eso lo hace cualquiera.

—¿Sabrá usted quejarse amargamente, y entablar una querella criminal contra el primero que se atreva a decir en letras de molde que usted no lo hace todas las noches sobresalientemente? ¿Sabrá usted decir de los periodistas que quién son ellos para...?

—Vaya si sabré; precisamente ése es el tema nuestro de todos los días. Mande usted otra cosa.

Al llegar aquí no pude ya contener mi gozo por más tiempo, y arrojándome en los brazos de mi recomendado: "Venga usted acá, mancebo generoso, exclamé todo alborozado; venga usted acá, flor y nata de la andante comiquería: usted ha nacido en este siglo de hierro de nuestra gloria dramática para renovar aquel siglo de oro, en que sólo comían los hombres bellotas y pacían a su libertad por los bosques, sin la distinción del tuyo y del mío. Usted será cómico, en fin, o se han de olvidar las reglas que hoy rigen en el ejercicio."

Diciendo estas y otras razones, despedí a mi candidato, prometiéndole las más eficaces recomendaciones.

1833.


# YA SOY REDACTOR


¿Por qué extraña fatalidad ha de anhelar el hombre siempre lo que no tiene? ¿Preguntémosle a un joven barbilucio qué desea? ¡Cuándo tendré barbas!, exclama en su interior. Nácenle las barbas: y hele allí maldiciendo ya del barbero y de la navaja. ¿Cuándo hallaré en mi Filis correspondencia?, le grita en el fondo de su corazón un deseo innato de amar y de ser amado. Ya oyó el sí. ¡Gozó el bien que deseaba! Y ya maldice del amor y sus espinas. ¿Le prefiere Laura? Pues todo su deseo se cifra en conquistar a Amira, que le desprecia. ¿De qué nace esta sed insaciable, este deseo vividor, reemplazado por otros y otros deseos que rápidamente se suceden sin encontrar jamás sino imperfecta satisfacción? El padre Almeida, si mal no me acuerdo, dice entre otras cosas curiosas, y aun lo afianza, que la Providencia quiso poner en nosotros este deseo implacable, para que nos atestiguase eternamente que no hacemos en este mundo transitorio sino una corta peregrinación, y que la satisfacción de nuestros deseos no está en esta vida, sino en otra más perfecta y duradera. Así debe de ser, y cierto, que vivimos de todas suertes agradecidos a la previsión y ardiente caridad con que el reverendo padre nos quiso sacar de esta peregrina duda. Yo, que no tengo un ápice de metafísico, y que dejo la resolución de estos problemas a aquellos que tienen más noticias ciertas que yo de nuestro destino, me ciño a decir que el deseo existe, y esto basta para mi propósito.

Yo, Fígaro, soy de ello una viva prueba: no bien me había tentado el enemigo malo, y sentí los primeros pujos de escritor público, cuando dieron en írseme los ojos tras cada periódico que veía, y era mi pío por mañana y noche: *¿Cuándo seré redactor de periódico?* Figurábaseme, sí, desde luego, obra de romanos el llenar y embutir con verdades luminosas las largas columnas de un papel público; pero, en cambio, era para mí de la mayor consideración el imaginarme a la cabeza de una sección literaria, recibiendo comunicados atentos y decorosos, viendo diariamente consignadas en indelebles caracteres de imprenta mis propias ideas y las de mis amigos, y sin más trabajo, a mi parecer, que el haber de contar y recontar al fin de mes los sonantes doblones que el público desinteresado tiene la bondad de depositar en cambio de papel en los arcones periodísticos de una empresa, luz y antorcha de la patria y órgano de la civilización del país.

Dejemos aparte las causas y concausas felices o desgraciadas que de vicisitud en vicisitud me han conducido al auge de periodista: lo uno porque al público no le importarán probablemente, y lo otro porque a mí mismo podría serme acaso más difícil de lo que a primera vista parece el designarlas. El hecho es que me acosté una noche autor de folletos y de comedias ajenas, y amanecí periodista: miréme de alto abajo, sorteando un espejo que a la sazón tenía, no tan grande como mi persona, que es hacer el elogio de su pequeñez, y dime a escudriñar detenidamente si alguna alteración notable se habría verificado en mi físico; pero por fortuna eché de ver que como no fuese en la parte moral, lo que es en la exterior y palpable, tan persona es un periodista como un autor de folletos. *Ya soy redactor*, exclamé alborozado, y echéme a fraguar artículos, bien determinado a triturar en el mortero de mi crítica cuanto malandrín literario me saliese al camino en territorio de mi jurisdicción. Pero, ¡ay de mí!, insensato, que chasco sobre chasco, vivo hoy tan desengañado de periodista como de autor de comedias. Diré brevemente lo que me aconteció, sin descubrir, por otra parte, los recursos ocultos que mueven la gran máquina de un periódico, ni romper el velo del prestigio que cubre nuestros altares, que eso fuera sobrado e inoportuno desinterés; y juzgue el lector si no es preferible vivir tranquilamente suscrito a un periódico, que haberle sabia y precipitadamente de componer.

—¡Señor Fígaro! Un artículo de teatros. —¿De teatros? Voy ayá. —Yo escribo para el público, y el público, digo para mí, merece la verdad: el teatro, pues, no es teatro: la comedia es ridícula; el actor A. es malo, y la actriz H. es peor. ¡Santo cielo! Nunca hubiera pensado en abrir mi boca para hablar de teatros. Comunicado a renglón seguido en mi papel y en todos los contemporáneos, en que el autor de la comedia dice que es excelente, y el articulista un *acéfalo*: se conjuran los actores, cierran la puerta del teatro a mis comedias para lo sucesivo, y ponen el grito en los cielos. ¿Quién es el fatuo que nos critica? ¡Pícaro traductor, ladrón, pedante!... ¿Y esto logra el pobre amigo de la verdad y de la ilustración? ¡Oh qué placer el de ser redactor!

Precipítome huyendo del teatro en la literatura. Un señorón encopetado acaba de publicar una obra indigesta. "Señor redactor —me dice en una carta seductora—: confío en el talento de usted y en nuestra amistad, de que le tengo dadas bastantes pruebas (por desgracia suele ser verdad), que hará un juicio crítico de mi obra, imparcial (imparcial llama él a un juicio que le alabe), y espero a usted a comer para que juntos departamos acerca de algunas ideas que convendría indicar, etc., etc." Resista usted a estas indirectas, y opte usted entre la ingratitud y la mentira. Ambos vicios tienen sus acerbos detractores, y unos u otros se han de ensangrentar en el triste Fígaro. ¡Oh qué, placer el de ser redactor!

¡Bueno! Traduciré noticias; al trabajo; corto mi pluma, desenvuelvo el inmenso papel extranjero; ahí van tres columnas. —¿Tres columnas he dicho? Al día siguiente las busco en la revista, pero inútilmente. —Señor director: ¿qué se hicieron mis columnas? —¡Calle usted, me- responde, ahí están; no han servido: esta noticia es inoportuna; ésa, arriesgada; la otra no conviene; aquella de más allá es insignicante; estotra es buena, pero está mal traducida! —Considere usted que es preciso hacer ese trabajo en horas, replico lleno de entusiasmo; el hombre llega a cansarse... —Si usted es hombre que se cansa alguna vez no sirve usted para periódicos... —Me dolía ya la cabeza... —Al buen periodista nunca le debe doler la cabeza... —¡Oh qué placer el de ser redactor!

Dejémonos de ese fárrago; yo no sirvo para él. Vaya un artículo profundo; hojeo el *Say* y el *Smith*; de eco-

nomía política será. —Grande artículo, me dice el editor, pero, amigo Fígaro, no vuelva usted a hacer otro.
—¿Por qué? —Porque esto es matarme el periódico.
¿Quién quiere usted que le lea, si no es jocoso, ni mordaz, ni superficial? Si tiene, además, cinco columnas...;
todos se me han quejado; nada de artículos científicos,
porque nadie los lee. Perderá usted su trabajo. —¡Oh qué
placer el de ser redactor!

—Encárguese usted de revisar los artículos comunicados, y sobre todo, las composiciones poéticas de circunstancias... —¡Ay señor editor, pero habrá que leerlas!... —Preciso, señor Fígaro... —¡Ay señor editor, mejor quiero
rezar diez rosarios de quince dieces!... —¡Señor Fígaro!...
—¡Oh qué placer el de ser redactor!

Política y más política. ¿Qué otro recurso me queda?
Verdad es que de política no entiendo una palabra. Pero
¿en qué niñerías me paro? ¡Si seré yo el primero que
escriba política sin saberla! Manos a la obra; junto
palabras y digo: conferencias, protocolos, derechos, representación, monarquía, legitimidad, notas, usurpación,
cámaras, cortes, centralizar, naciones, felicidad, paz, ilusos, incautos, seducción, tranquilidad, guerra, beligerantes,
armisticio, contraproyecto, adhesión, borrascas políticas,
fuerzas, unidad, gobernantes, máximas, sistemas desquiciadores, revolución, orden, centros, izquierda, modificación, bill, reforma, etc., etc. Ya hice mi artículo, pero ¡oh
cielos! El editor me llama. —Señor Fígaro, usted trata
de comprometerme con las ideas que propala en ese artículo... —¿Yo propalo ideas, señor editor? Crea usted
que es sin saberlo. ¿Conque tanta malicia tiene?... —Si
usted no tiene pulso... —Perdone usted; yo no creí que
mi sistema político era tan... Yo lo hice jugando... —Pues
si nos para perjuicio, usted será el responsable. —¿Yo,
señor editor? ¡Oh qué placer el de ser redactor!

¡Oh, si esto fuese todo, y si sólo fuera uno responsable, pobre Fígaro, de lo que escribe! Pero ¡ah!, tocamos a otro inconveniente; supongo yo que ni apareció
el autor necio, ni el actor ofendido, ni disgustó el artículo, sino que todo fué dicha en él. ¿Quién me responde
de que algún maldito yerro de imprenta no me hará decir disparate sobre disparate? ¿Quién me dice que no
se pondrá *Camellos* donde yo puse *Comellas, torner* donde escribí yo *Forner, ritómico* donde *rítmico*, y otros de
la misma familia? ¿Será preciso imprimir yo mismo mis
artículos? ¡Oh qué placer el de ser redactor! ¡Santo cielo!
¿Y yo deseaba ser periodista? Confieso como hombre débil, lector mío, que nunca supe lo que quise; juzga tú

por el largo cuento de mis infortunios periodísticos, que
mucho procuré abreviarte, si puedo y debo con sobrada
razón exclamar, ahora que ya lo soy, ¡oh qué placer el
de ser redactor!

1833.


# LA SOCIEDAD


Es cosa generalmente reconocida que el hombre es *animal social*, y yo, que no concibo que las cosas puedan
ser sino del modo que son, yo, que no creo que pueda
suceder sino lo que sucede, no trato por consiguiente de
negarlo. Puesto que vive en sociedad, social es sin duda.
No pienso adherirme a la opinión de los escritores mal-
humorados que han querido probar que el hombre habla
por una aberración, que su verdadera posición es la de
los cuatro pies, y que comete un grave error en buscar
y fabricarse todo género de comodidades, cuando pudiera pasar pendiente de las bellotas de una encina el mes,
por ejemplo, en que vivimos. Hanse apoyado para fun-
dar semejante opinión en que la sociedad le roba parte
de su libertad, si no toda; pero tanto valdría decir que el
frío no es cosa natural, porque incomoda. Lo más que
concederemos a los abogados de la vida salvaje es que la
sociedad es de todas las necesidades de la vida la peor:
eso sí. Ésta es una desgracia, pero en el mundo feliz
que habitamos casi todas las desgracias son verdad, razón por la cual no nos admiramos siempre que vemos tantas
investigaciones para buscar ésta. A nuestro modo de ver,
no hay nada más fácil que encontrarla; allí donde está
el mal, allí está la verdad. Lo malo es lo cierto. Sólo los
bienes son ilusión.

Ahora bien; convencidos de que todo lo malo es natural y verdad, no nos costará gran trabajo probar que
la sociedad es natural, y que el hombre nació por consiguiente social; no pudiendo impugnar la sociedad, no
nos queda otro recurso que pintarla.

De necesidad parece creer que al verse el hombre solo
en el mundo, blanco inocente de la intemperie y de toda
especie de carencias, trate de unir sus esfuerzos a los de
su semejante para luchar contra sus enemigos, de los
cuales el peor es la naturaleza entera; es decir, el que
no puede evitar, el que por todas partes le rodea; que
busque a su hermano (que así se llaman los hombres
unos a otros por burla, sin duda) para pedirle su auxilio; de aquí podría deducirse que la sociedad es un cam-

bio mutuo de servicios recíprocos. Grave error: es todo
lo contrario; nadie concurre a la reunión para prestarle
servicios, sino para recibirlos de ella; es un fondo común,
donde acuden todos a sacar, y donde nadie deja, sino
cuando sólo puede tomar en virtud de permuta. La sociedad es, pues, un cambio mutuo de perjuicios recíprocos. Y el gran lazo que la sostiene es por una incomprensible contradicción aquello mismo que parecería destinado a disolverla; es decir, el egoísmo. Descubierto ya
el estrecho vínculo que nos reúne unos a otros en sociedad, excusado es probar dos verdades eternas, y por
cierto consoladoras, que de él se deducen: primera, que
la sociedad, tal cual es, es imperecedera, puesto que siempre nos necesitaremos unos a otros; segunda, que es fran-
ca, sincera, y movida por sentimientos generosos; y en
esto no cabe duda, puesto que siempre nos hemos de querer a nosotros mismos más que a los otros.

Averiguar ahora si la cosa pudiera haberse arreglado
de otro modo, si el gran poder de la creación estaba en
que no nos necesitásemos, y si quien ponía por base de
todo el egoísmo podía haberle sustituido el desprendi-
miento, ni es cuestión para nosotros, ni de estos tiempos,
ni de estos países.

Felizmente no se llega al conocimiento de estas tristes
verdades sino a cierto tiempo; en un principio todos somos generosos aún, francos, amantes, amigos..., en una
palabra, no somos hombres todavía; pero a cierta edad
nos acabamos de formar, y entonces ya es otra cosa:
entonces vemos por la primera vez, y amamos por la
última. Entonces no hay nada menos divertido que una
diversión; y si pasada cierta edad se ven hombres buenos todavía, esto está sin duda dispuesto así para que
ni la ventaja cortísima que quede de tener una regla
fija a que atenernos, y con el fin de que puedan llevarse
chasco hasta los más experimentados.

Pero como no basta estar convencidos de las cosas
para convencer de ellas a los demás, inútilmente hacía
yo las anteriores reflexiones a un primo mío que quería
entrar en el mundo hace tiempo, joven, vivaracho, inexperto, y por consiguiente alegre. Criado en el colegio,
y versado en los autores clásicos, traía al mundo llena
la cabeza de las virtudes que en los poemas y comedias
se encuentran. Buscaba un Pílades; toda amante le parecía una Safo, y estaba seguro de encontrar una Lucrecia el día que la necesitase. Desengañarle era una
crueldad. ¿Por qué no había de ser feliz mi primo unos
días como lo hemos sido todos? Pero además hubiera

sido imposible. Limítéme, pues, a tomar sobre mí el cuidado de introducirle en el mundo, dejando a los demás el de desengañarle de él.

Después de haber presidido al cúmulo de pequeñeces indispensables, al lado de las cuales nada es un corazón recto, un alma noble, ni aun una buena figura, es decir, después de haberse proporcionado unos cuantos fraques y cadenas, pantalones colan y mi-colan, reloj, sortijas, y media docena de onzas siempre en el bolsillo, primeras virtudes en sociedad, introdújelo por fin en las casas de mejor tono. Un poco de presunción, un personal excelente, suficiente atolondramiento para no quedarse nunca sin conversación, un modo de bailar semejante al de una persona que anda sin gana, un bonito frac, seis apuestas de a onza en el *écarté*, y todo el desprecio posible de las mujeres, hablando con los hombres, le granjearon el afecto y la amistad verdadera de todo el mundo. Es inútil decir que quedó contento de su introducción. "Es encantadora, me dijo la sociedad. ¡Qué alegría! ¡Qué generosidad! ¡Ya tengo amigos, ya tengo amante!..." A los quince días conocía a todo Madrid; a los veinte no hacía caso ya de su antiguo consejero; alguna vez llegó a mis oídos que afeaba mi filosofía y mis descabelladas ideas, como las llamaba: *preciso es que sea muy malo mi primo, decía, para pensar tan mal de los demás*; a lo cual solía yo responder para mí: *preciso es que sean muy malos los demás, para haberme obligado a pensar tan mal de ellos.*

Cuatro años habían pasado desde la introducción de mi primo en la sociedad; habíale perdido ya de vista, porque yo hago con el mundo lo que se hace con las pieles en verano: voy de cuando en cuando, para que no entre el olvido en mis relaciones, como se sacan aquéllas tal cual vez al aire para que no se albergue en sus pelos la polilla. Había, sí, sabido mil aventuras suyas de estas que, por una contradicción inexplicable, honran mientras sólo las sabe todo el mundo en confianza, y que desacreditan cuando las llega a saber alguien de oficio, pero nada más. Ocurrióme en estas noches pasadas ir a matar a una casa la polilla de mi relación; y a pocos pasos encontréme con mi primo. Parecióme no tener todo el buen humor que en otros tiempos le había visto; no sé si me buscó él a mí, o le busqué yo a él; sólo sé que a pocos minutos paseábamos el salón del bracero, y alimentando el siguiente diálogo:

—¿Tú en el mundo? —me dijo.

—Sí, de cuando en cuando vengo: cuando veo que se amortigua mi odio, cuando me siento inclinado a pensar bien, cuando empiezo a echarle de menos, me presento una vez, y me curo para otra temporada. Pero ¿tú no bailas?

—Es ridículo: ¿quién va a bailar en un baile?

—Sí, por cierto..., ¡si fuera en otra parte!... Pero observo desde que falto a esta casa multitud de caras nuevas... que no conozco...

—Es decir, que faltas a todas las casas de Madrid... porque las caras son las mismas; las casas son las diferentes; y por cierto que no vale la pena de variar de casa para no variar de gente.

—Así es —respondí— que falto a todas. Quisiera, por tanto, que me instruyeses... ¿Quién es, por ejemplo, esa joven?..., linda por cierto... Baila muy bien..., parece muy amable.

—Es la baroncita viuda de... ***. Es una señora que a fuerza de ser hermosa y amable, a fuerza de gusto en el vestir, ha llegado a ser aborrecida de todas las demás mujeres. Como su trato es harto fácil, y no abriga más malicia que la que cabe en veintidós años, todos los jóvenes que la ven se creen con derecho a ser correspondidos; y como al llegar a ella se estrellan desgraciadamente los más de sus cálculos en su virtud (porque, aunque la ves tan loca al parecer, en el fondo es virtuosa), los unos han dado en llamar coquetería su amabilidad, los otros por venganza le dan otro nombre peor. Unos y otros hablan infamias de ella; debe por consiguiente a su mérito y a su virtud el haber perdido la reputación. ¿Qué quieres? ¡Ésa es la sociedad!

—¿Y aquella de aquel aspecto grave, que se remilga tanto cuando un hombre se le acerca? Parece que teme que la vean los pies según se baja el vestido a cada momento.

—Ésa ha entendido mejor el mundo. Ésa responde con bufidos a todo galán. Una casualidad rarísima me ha hecho descubrir dos relaciones que ha tenido en menos de un año; nadie las sabe sino yo; es casada; pero como brilla poco su lujo, como no es una hermosura de primer orden, como no se pone en evidencia, nadie habla mal de ella. Pasa por la mujer más virtuosa de Madrid. Entre las dos se pudiera hacer una maldad completa: la primera tiene las apariencias, y ésta la realidad. ¿Qué quieres?, ¡en la sociedad siempre triunfa la hipocresía!... Mira: apartémonos: quiero evitar el encuentro de ese que se dirige hacia nosotros; me encuentra en la calle y nunca me saluda, pero en sociedad es otra cosa. Como es tan desairado estar de pie sin hablar con nadie, aquí me habla siempre. Soy su amigo para estos recursos, para los momentos de fastidio; también en el Prado se me suele agregar cuando no ha encontrado ningún amigo más íntimo. Ésa es la sociedad.

—Pero observo que huyendo de él nos hemos venido al *écarté*. ¿Quién es aquel que juega a la derecha?

—¿Quién ha de ser? Un amigo mío íntimo, cuando yo jugaba. Ya se ve; ¡perdía con tan buena fe! Desde que no juego no me hace caso. ¡Ay!, éste viene a hablarnos.

Efectivamente, llegósenos un joven con aire marcial y muy amistoso.

—¿Cómo le tratan a usted?... —le preguntó mi primo

—Pícaramente; diez onzas he perdido. ¿Y a usted?

—Peor todavía; adiós.

Ni siquiera nos contestó el perdidoso.

—Hombre, si no has jugado —le dije a mi primo—, ¿cómo dices?...

—Amigo, ¿qué quieres? Conocí que me venía a preguntar si tenía suelto. En su vida ha tenido diez onzas; la sociedad es para él una especulación: lo que no gana lo pide.

—Pero ¿y qué inconveniente había en prestarle? Tú que eres tan generoso...

—Sí, hace cuatro años: ahora no presto ya hasta que no me paguen lo que me deben; es decir, que ya no prestaré nunca. Ésa es la sociedad. Y, sobre todo, ese que nos ha hablado...

—¡Ah!, es cierto; recuerdo que era antes tu amigo íntimo: no os separabais.

—Es verdad; y yo le quería; me lo encontré a mi entrada en el mundo; teníamos nuestros amores en una misma casa, y yo tuve la torpeza de creer simpatía lo que era comunidad de intereses. Le hice todo el bien que pude, ¡inexperto de mí! Pero de allí a poco puso los ojos en mi bella, me perdió en su opinión, y nos hizo reñir: él no logró nada; pero desbarató mi felicidad. Por mejor decir, me hizo feliz; me abrió los ojos.

—¿Es posible?

—Ésa es la sociedad: era mi amigo íntimo. Desde entonces no tengo más amigos íntimos que estos pesos duros que traigo en el bolsillo: son los únicos que no venden: al revés, compran.

—¿Y tampoco has tenido más amores?

—¡Oh!, eso sí; de eso he tardado más en desengañarme. Quise a una que me quería sin duda por vanidad, porque a poco de quererla me sucedió un fracaso que me puso en ridículo, y me dijo que no podía arrostrar el ridículo; luego quise frenéticamente a una casada; ésa sí creí que me quería sólo por mí; pero hubo hablillas, que promovió precisamente aquella fea que ves allí, que como no puede tener amores, se complace en desbaratar los ajenos; hubieron de llegar a oídos del marido,

que empezó a darla mala vida; entonces mi apasionada
me dijo que empezaba el peligro y que debía concluirse
el amor; su tranquilidad era lo primero. Es decir que
amaba más a su comodidad que a mí. Ésa es la sociedad.

—¿Y no has pensado nunca en casarte?

—Muchas veces; pero, a fuerza de conocer maridos,
también me he desengañado.

—Observo que no llegas a hablar a las mujeres.

—¿Hablar a las mujeres en Madrid? Como en general
no se sabe hablar de nada, sino de intrigas amorosas; como
no se habla de artes, de ciencias, de cosas útiles, como ni
de política se entiende, no se puede uno dirigir ni son-
reír tres veces a una mujer; no se puede ir dos veces
a su casa sin que digan: *Fulano hace el amor a men-
gana*. Esta expresión pasa a sospecha, y dicen con una
frase por cierto bien delicada: *¿Si estará metido con
fulana?* Al día siguiente esta sospecha es ya una realidad, un compromiso. Luego hay mujeres, que porque
han tenido una desgracia o una flaqueza, que se ha
hecho pública por este hermoso sistema de sociedad, están siempre acechando la ocasión de encontrar cómplices
o imitadoras que las disculpen, las cuales ahogan la vergüenza en la murmuración. Si hablas a una bonita, la
pierdes; si das conversación a una fea, quieres atrapar su
dinero. Si gastas chanzas con la parienta de un ministro,
quieres un empleo. En una palabra, en esta sociedad de
ociosos y habladores nunca se concibe la idea de que puedas
hacer nada inocente, ni con buen fin, ni aun sin fin.

Al llegar aquí no pude menos de recordar a mi primo
sus expresiones de hacía cuatro años: *Es encantadora
la sociedad; ¡qué alegría!, ¡qué generosidad!, ¡ya tengo
amigos, ya tengo amante!*...

Un apretón de manos me convenció de que me había
entendido. ¿Qué quieres?, me añadió de allí a un rato;
nadie quiere creer sino en la experiencia: todos entra-
mos buenos en el mundo, y todo andaría bien si nos
buscáramos los de una edad; pero nuestro amor propio
nos pierde: a los veinte años queremos encontrar amigos
y amantes en las personas de treinta, es decir, en las
que han llevado el chasco antes que nosotros, y en los que
ya no creen; como es natural, le llevamos entonces nosotros, y se le pegamos luego a los que vienen detrás. Ésa
es la sociedad: una reunión de víctimas y de verdugos.
¡Dichoso aquel que no es verdugo y víctima a un tiempo!
¡Pícaros, necios, inocentes!... Más dichosos aún, si hay
excepciones, el que puede ser excepción!...

1835.

## UNA PRIMERA REPRESENTACIÓN

En los tiempos de Iriarte y de Moratín, de Comella y del abate Cladera, cuando divididas las pandillas literarias se asestaban de librería a librería, de corral a corral, las burlas y los epigramas, la primera representación de una comedia (entonces todas eran comedias o tragedias) era el mayor acontecimiento de la España. El buen pueblo madrileño, a cuyos oídos no habían llegado aún, o de cuya memoria se habían borrado ya las encontradas voces de *tiranía* y *libertad*, hacía entonces la vista gorda sobre el Gobierno. Su Majestad cazaba en los bosques de El Pardo, o reventaba mulas en la trabajosa cuesta de La Granja; en la corte se intrigaba, poco más o menos como ahora, si bien con un tanto más de hipocresía; los ministros colocaban a sus parientes y a los de sus amigos: esto ha variado completamente; la clase media iba a la oficina; entonces un empleo era cosa segura, una suerte hecha, y el honrado, el heroico pueblo iba a los toros a llamar bribón a boca llena a Pepe-Hillo y Pedro Romero cuando el toro no se quería dejar matar a la primera. Entonces no había más guerra civil que los famosos bandos y parcialidades de *chorizos* y *polacos*. No se sospechaba siquiera que podía haber más derecho que el de tirar varias cáscaras de melón a un *morcillero*, y el de acompañar la silla de manos de la Rita Luna, de vuelta a su casa desde el teatro, lloviendo dulces sobre ella. En aquellos tiempos de tiranía y de Inquisición había sin embargo más libertad; y no se nos tome esto en cuenta de paradojas; porque al fin se sabía por dónde podía venir la tempestad, y el que entonces la pagaba era por poco avisado. En respetando al rey, y a Dios, respeto que consistía más bien en no acordarse de ambas majestades que en otra cosa, podía usted vivir seguro sin carta de seguridad, y viajar sin pasaporte. Si usted quería escribir, imprimía y vendía cuanto a las mientes se le viniese, y ahí están si no las obras de Saavedra, las del mismo Comella, las de Iriarte, las de Moratín, las poesías de Quintana, que escritas en nuestros días no podrían probablemente ver en muchos años la luz pública. Entonces ni había espías, ni menos policía; no le ahorcaban a usted hoy por liberal y mañana por carlista, ni al día siguiente por ambas cosas; tampoco había esta comezón que nos consume de ilustración y prosperidad; el que tenía un sueldo se tenía por bastante ilustrado, y el que se divertía alegremente se creía todo lo próspero posible. Y esto pesado en la balanza de las compensaciones es algo sin duda.

Había otra ventaja, a saber: que si no quería usted cavar la tierra, ni servir al rey en las armas, cosas ambas un si es no es incómodas; si no quería usted quemarse las cejas sobre los libros de leyes o de medicina; si no tenía usted ramo ninguno de rentas donde meter la cabeza, ni hermana bonita, ni mujer amable, ni madre que lo hubiese sido; si no podía usted ser paje de bolsa de algún ministro o consejero, decía usted que tenía una estupenda vocación; vistiendo el tosco sayal tenía usted su vida asegurada, y dejando los estudios, como fray Gerundio, se metía usted a predicador. El oficio en el día parece también haber perdido algunas de sus ventajas.

Por nuestros escritos conocerán nuestros lectores que no debimos nosotros alcanzar esos tiempos bienaventurados. Pero ¿quién no es hijo de alguien en el mundo? ¿Quién no ha tenido padres que se lo cuenten?

Entonces en el teatro se escuchaban pocas silbas, y el ilustrado público, menos descontentadizo, era a la par más indulgente. Lo que por aquellos tiempos podía ser una *primera representación*, lo ignoramos completamente, y como no nos proponemos pintar las costumbres de nuestros padres, sino las nuestras, no nos aflige en verdad demasiado esta ignorancia.

En el día una primera representación es una cosa importantísima para el autor de... ¿de qué diremos? Es tal la confusión de los títulos y de las obras, que no sabemos cómo generalizar la proposición. En primer lugar hay lo que se llama *comedia antigua*, bajo cuyo rótulo general se comprenden todas las obras dramáticas anteriores a Comella; de capa y espada, de intriga, de gracioso, de figurón, etc., etc.; hay en segundo el drama, dicho melodrama, que fecha de nuestro interregno literario, traducción de la *Porte Saint Martin*, como *El Valle del Torrente*, *El mudo de Arpenas*, etc., etc.; hay el drama sentimental y terrorífico, hermano mayor del anterior, igualmente traducción, como *La huérfana de Bruselas*; hay después la comedia dicha clásica de Molière y Moratín, con su versito asonantado o su prosa casera; hay la tragedia clásica, ora traducción, ora original, con sus versos pomposos y su correspondiente hojarasca de metáforas y pensamientos sublimes de sangre real; hay la piececita de costumbres, sin costumbres, traducción de Scribe, insulsa a veces, graciosita a ratos, ingeniosa por aquí y por allí; hay el drama histórico, crónica puesta en verso, o prosa poética, con sus trajes de la época y sus decoraciones *ad hoc*, y al uso de todos los tiempos;

hay, por fin, si no me dejo nada olvidado, el drama romántico, nuevo, original, cosa nunca hecha ni oída, co-
meta que aparece por primera vez en el sistema literario
con su cola y sus colas de sangre y de mortandad, el único verdadero; descubrimiento escondido a todos los siglos
y reservado sólo a los Colones del siglo XIX. En una palabra, la naturaleza en las tablas, la luz, la verdad, la libertad en literatura, el derecho del hombre reconocido, la
ley sin ley.

He aquí que el autor ha dado la última mano a lo que
sea; ya lo ha cercenado la censura decentemente; ya la
empresa se ha convencido de que se puede representar, y
de que acaso es cosa buena.

Entonces los periodistas, amigos del autor, saben por
casualidad la próxima representación, y en todos los periódicos se lee entre las noticias de facciosos derrotados
completamente, la cláusula que sigue:

"Se nos ha asegurado o sabemos (el sabemos no se
aventura todos los días) que se va a poner en escena un
drama nuevo en el teatro de... (por lo regular del Príncipe). Se nos ha dicho que es de un autor conocido ya
ventajosamente por obras literarias de un mérito –incon-
testable. Deben desempeñar los principales papeles nuestra célebre señora Rodríguez y el señor Latorre. La empresa no ha perdonado medio alguno para ponerlo en
escena con toda aquella brillantez que requiere su argumento; y tenemos fundados motivos (la amistad, nadie
ha dicho que no sea un motivo, ni menos que no sea
fundado) para asegurar que el éxito corresponderá a las
esperanzas, y que por fin el teatro español, etc., etc.", y
así sucesivamente.

Luego que el público ha leído esto, es preciso ir al
café del Príncipe: allí se da razón de quién es el autor,
de cómo se ha hecho la comedia, de por qué la ha hecho,
de que tiene varias alusiones sumamente picantes, lo cual
se dice al oído; el café del Príncipe, en fin, es el memo-
rialista, el valenciano del teatro.

—¿Ha visto usted eso del drama que trae la revista?
—¿Qué drama es ese? —No sé. —Sí, hombre, si es aquel
que estaba componiendo. —¡Ah!, sí. ¡Hombre, debe ser
bueno! —Preciso. —¿Cómo se titula? —¡FULANO! —¿A
secas? —No sé si tiene otro título. —Es regular. —¿Cuántos actos? —Cinco, creo. —No son actos, dice otro.
—¿Cómo?, ¿no son actos? —Sí, son actos, pero... yo no
sé. —¡Ah! sí. ¿Y muere mucha gente? —¡Por fuerza!
Dicen que es bueno.

—¿Gustará?, dicen en otro corrillo. —Hombre, eso como
este público es así..., yo no me atrevería..., pero mi opi-

nión es que o debe alborotar, o le tiran los bancos. —¡Hola!
—No hay medio. Hay cosas atrevidas; ¡pero qué escenas! Figúrese usted que hay uno que es hijo de otro.
—¡Oiga! —Pero el hijo está enamorado... Deje usted:
yo no me acuerdo si es el hijo o el padre el que está
enamorado. Es igual. El caso es que luego se descubre
que la madre no es madre; no, el padre es el que no
es padre; pero hay un veneno, y luego viene el otro, y
el hijo o la madre matan al padre o al hijo. —¡Hombre!
Eso debe ser de mucho efecto. —¡Ya lo creo! Y hay una
tempestad y una decoración oscura, tétrica, romántica...;
en fin, con decirle a usted que la dama, ayer en el ensayo
no podía seguir hablando. —¡¡¡Uy!!!

Si la cosa es por otro estilo, aunque ahora no hay cosas
por otro estilo: —Es bonita, dicen, sólo que es pesada;
pero a mí me hizo reír mucho cuando la leí; es clásica,
por supuesto; pero no hay acción; no sucede nada.

El autor entretanto se las promete felices, porque en
los ensayos han convenido los actores (que son muy inteligentes) que hay una escena que levanta del asiento;
sólo se teme que el galán, que ha creído que el papel no
es para su carácter, porque no es de bastante bulto, le
haga con tibieza; y el segundo gracioso no ha entendido
una palabra del suyo: no hay forma de hacérselo entender. Por otra parte, una dama está un poquillo ofendida porque la protagonista, que nació demasiado pronto,
tiene más años de los que ella quiere aparentar. Y los segundos papeles están en malas manos, porque como aquí
no hay actores...

Esto, sin embargo, los ensayos siguen su curso natural: el autor se consume porque los actores principales
no dicen su papel en el ensayo, sino que lo rezan entre
dientes. —Un poco más energía, se atreve a decir el autor, en ademán de pedir perdón. —No tenga usted cuidado, le responden; a la noche verá usted. —Con esto apenas se atreve a hacer nuevas advertencias; si las hace,
suele atraerse alguna risilla escondida; verdad es que a
veces el autor suele entender de representar menos todavía
que el actor.

—¿Qué saco yo en la cabeza?, le pregunta una joven.
¿Diadema? —No es necesario. —Como soy... —No importa, se va usted a acostar cuando sucede el lance. —Es
verdad.

—¿Y yo, qué saco en las piernas? —La época, el calzón
ajustado, pie y brazo acuchillados. —Es que no tengo.
—Sí tienes, dice un compañero, el calzón que te sirvió
para Dido. —Ya; pero eso debe ser otra época. —No importa, le ponemos cuatro lazos, y es eso.

—Yo saco peluca rubia, dice el gracioso. —¿Por qué rubia? —No tengo más que rubias; todas las hacen rubias. —Bien; así como así, la escena es en Francia. —¡Ah! ¡Entonces!... los franceses son rubios. —¿Y calva, por supuesto? —No, hombre, no: si no tiene usted más que cincuenta años. —Es que todas mis pelucas tienen calva. —Entonces saque usted lo que quiera.

—Yo necesito un retrato, que saco, dice otro. —No, un medallón; cualquier cosa; desde fuera no se ve.

Arreglado ya lo que cada uno saca, se conviene en que las decoraciones harán efecto, porque se han anunciado como nuevas: la del pabellón de la *Expiación*, en poniéndole cuatro retratos, es romántica enteramente, y si se añaden unas armas, no digo nada; un gabinete de la Edad Media; la de tal otra comedia en abriéndole dos puertas laterales, y en cerrándole la ventana, es el cuarto de la dama.

Si hay comparsas se arma una disputa sobre si se deben afeitar o no; si tienen que afeitarse es preciso que se les den dos reales más; ¿se han de poner limpios de balde? Para conciliar el efecto con la economía, se conviene en que los cuatro que han de salir delante se afeiten; los que están en segundo término, o confundidos en el grupo, pueden ahorrarse las navajas. Si deben salir músicos, es obra de romanos encontrarlos; porque es cosa degradante soplar en un serpentón, o dar porrazos a un pergamino a la vista del público; cuando por la calle o de casa en casa, entonces nadie los ve.

Por fin, ha llegado la noche; merced a los anuncios de los periódicos y de los carteles, en los cuales se previene al público que si se tarda en los entreactos es porque hay que hacer, y que como la función es larga, no admite intermedio ni sainete; merced a estas inocentes estratagemas, se acaban los billetes al momento, y a la tarde están a dos, tres duros las lunetas. El autor ha tomado los suyos, y los amigos, que han comido con él, le tranquilizan, asegurándole que si el drama fuera malo se lo hubieran dicho francamente en las repetidas lecturas que se han hecho previamente en casa de éste o de aquél. Todo lo contrario; se han extasiado, y no es decir que no lo entiendan. El buen ingenio anda aquel día distraído; no responde con concierto a cosa alguna; reparte algunos apretones de manos, lo más expresivos posible, a cuenta de aplausos, y está muy modesto; se cura en salud; refuerza alguna sonrisa para contestar a los muchos que llegan y le dicen embromándole, sin temor de Dios: *Conque hoy es la silba; voy a comprar un pito.*

—¡Las seis! Es preciso asistir al vestuario. —¡Qué tal estoy! —Bien: parece usted un bien verdadero abate; dése usted más negro en esa mejilla; otra raya; es usted más viejo. Usted sí que está perfectamente, señora, y cierto que daría los mejores trozos de mi comedia por ser el galán de ella, y hacer el papel con usted. Se me figura que está frío el segundo galán. —¡Ah! no; ya lo verá usted; ahora está bebiendo un poco de ponche para calentarse. —¿Sí, eh? ¡Magnífico! No se le olvide a usted aquel grito en aquel verso. —No se me olvida, descuide usted; aturdiré el teatro. —Sí, un chillido sentido: como que ve usted al otro muerto. Con que salga como en el penúltimo ensayo me contento. Alborota usted con ese grito. ¡A mí me estremeció usted, y soy el autor!...

—¡La orden! ¡La orden! —gritan a esta sazón.

—¿Cómo la orden? —exclama el autor asustado—. ¿La han prohibido?

—No, señor, es la orden para empezar; habrá venido S. A.

Suena una campanilla. ¡Fuera, fuera! Y salen precipitadamente de la escena aquella multitud de pies que se ven debajo del telón.

—¡Cuidado con los arrojes, señor autor!, dice un segundo apunte, cogiéndole de un brazo. —¿Qué es eso? —Nada; los arrojes son cuatro mozos de cordel que hacen subir el telón, bajando ellos colgados de una cuerda. Se oye un estruendo espantoso: se ha descorrido la cortina, y el ingenio se refugia a un rincón de un palco segundo, detrás de su familia, o de sus amigos, a quienes mortifica durante la representación con repetidas interrupciones. Tiene toda la sangre en la cabeza, suda como un cavador, cierra las manos, hace gestos de desesperación cuando se pierde un actor. —Si lo dije, si no sabe el papel. —¿Silban? —¿Qué murmullo es ése? —Bien, bien, este aplauso ha venido muy bien ahí; esto va bien; ese trozo tenía que hacer efecto por fuerza. —¡Bárbaros! ¿Por qué silban? Si no se puede escribir en este país; luego la están haciendo de una manera... Yo también la silbaría.

En el auditorio son otras las expresiones fugitivas. ¡Vaya! Ya tenemos el telón bajando y subiendo. —¡Bravo! Se han dejado una silla. —Mire usted aquel comparsa. ¿Qué es aquello blanco que se le ve? —¡Hombre! ¡En esa sala han nacido árboles! —¿Lo mató? —¡Ah!, ¡ah!, ¡ah! Si morirá el apuntador. — Pues, señor, hasta ahora no es gran cosa. —Lo que tiene es buenos versos.

Entretanto, la condesita de *** entra al segundo acto dando portazos para que la vean; una vez sentada no se luce el vestido; los *fashionables* suben y bajan a los palcos; no se oye; el teatro es un infierno; luego parece que el público se ha constipado adrede aquel día. ¡Qué toser, señor, qué toser!

Llegó el quinto acto, y la mareta sorda empieza a manifestarse cada vez más pronunciada: a la última puñalada el público no puede más, y prorrumpe por todas partes en ruidosas carcajadas; los amigos defienden el terreno; pero una llave decide la cuestión: sin duda no es la llave con que encerraba Lope de Vega los preceptos; y cae el telón entre la majestuosa algazara y con toda la pompa de la ignominia.

No sé qué propensión tiene la humanidad a alegrarse del mal ajeno; pero he observado que el público sale más alegre y decidor, más risueño y locuaz de una representación silbada; el autor entretanto sale confuso y renegando de un público tan atrasado; no están todavía los españoles, dice, para esta clase de comedias; se agarra otro poco a las intrigas, otro poco a la mala representación, y de esta suerte ya puede presentarse al dia siguiente en cualquier parte con la conciencia limpia.

Sus amigos convienen con él, y en su ausencia se les oye decir: —Yo lo dije; esa comedia no podía gustar; pero ¿quién se lo dice al autor? ¿Quién pone el cascabel al gato? —Yo le dije que cortara lo del padre en el segundo acto: aquello es demasiado largo; pero se empeñó en dejarlo.

He observado, sin embargo, que los amigos literatos suelen portarse con gran generosidad; si la comedia gusta, ellos son los que como inteligentes hacen notar los defectillos de la composición, y entonces pasan por imparciales y rectos; si la comedia es silbada, ellos son los que la disculpan y la elogian; saben que sus elogios no la han de levantar, y entonces pasan por buenos amigos. En el primer caso dicen: —Es cosa buena, ¿cómo se había de negar? No tiene más sino aquello, y lo otro, y lo de más allá... Ya se ve, las cosas no pueden ser perfectas.

En el segundo dicen: —Señor, no es mala; pero no es para todo el mundo: hay cosas demasiado profundas; tiene bellezas; sobre todo, hay versos muy lindos.

Pero la parte indudablemente más divertida es la de oír, acercándose a los corrillos, los votos particulares de cada cual: éste la juzga mala porque dura tres horas; aquél porque mueren muchos; el otro porque hay gente de iglesia en ella; el de más allá porque se muda de decoraciones; esotro porque infringe las reglas; los contrarios dicen que sólo por esas circunstancias es buena. ¡Qué Babilonia, Santo Dios! ¡Qué confusión!

Al día siguiente los periódicos... Pero ¿quién es el au-
tor? ¿Es un principiante, un desconocido? ¡Qué nube!
¿Es algo más? ¡Qué reticencias! ¡Qué medias palabras!
¡Qué exacto justo medio!

¡Después de todo eso, haga usted comedias!...

1835.

## LA DILIGENCIA

Cuando nos quejamos de que *esto no marcha*, y de que
la España no progresa, no hacemos más que enunciar
una idea relativa; generalizada la proposición de esa suerte, es evidentemente falsa; reducida a sus límites verdaderos, hay un gran fondo de verdad en ella.

Así como no notamos el movimiento de la tierra porque todos vamos envueltos en él, así no echamos de ver
tampoco nuestros progresos. Sin embargo, ciñéndonos al
objeto de este artículo, recordaremos a nuestros lectores
que no hace tantos años carecíamos de multitud de ventajas, que han ido naciendo por sí solas y colocándose
en su respectivo lugar; hijas de la época, secuelas indispensables del adelanto general del mundo. Entre ellas,
es acaso la más importante la facilitación de las comunicaciones entre los pueblos apartados. Los tiranos, generalmente cortos de vista, no han considerado en las
diligencias más que un medio de transportar paquetes
y personas de un pueblo a otro; seguros de alcanzar con
su brazo de hierro a todas partes, se han sonreído imbé-
cilmente al ver mudar de sitio a sus esclavos; no han
considerado que las ideas se agarran como el polvo a los
paquetes y viajan también en diligencia. Sin diligencias,
sin navíos, la libertad estaría todavía probablemente encerrada en los Estados Unidos. La navegación la trajo a
Europa; las diligencias han coronado la obra; la rapidez
de las comunicaciones ha sido el vínculo que ha reunido
a los hombres de todos los países; verdad es que ese lazo
de los liberales lo es también de sus contrarios; pero ¿qué
importa? La lucha es así general y simultánea; sólo así
puede ser decisiva.

Hace pocos años, si le ocurría a usted hacer un viaje,
empresa que se acometía entonces sólo por motivos muy
poderosos, era forzoso recorrer todo Madrid, preguntando de posada en posada por medios de transporte. Éstos
se dividían entonces en coches de colleras, en galeras, en
carromatos, tal cual tartana y acémilas. En la celeridad
no había diferencia ninguna: no se concebía cómo podía

un hombre apartarse de un punto en un solo día más de
seis o siete leguas; aun así era preciso contar con el
tiempo y con la colocación de las ventas; esto, más que
viajar, era irse asomando al país, como quien teme que
se le acabe el mundo al dar un paso más de lo absoluta-
mente indispensable. En los coches viajaban sólo los poderosos; las galeras eran el carruaje de la clase acomodada; viajaban en ellas los empleados que iban a tomar
posesión de su destino, los corregidores que mudaban
de vara; los carromatos y las acémilas estaban reserva-
das a las mujeres de militares, a los estudiantes, a los
predicadores cuyo convento no les proporcionaba mula
propia. Las demás gentes no viajaban; y semejantes los
hombres a los troncos, allí donde nacían, allí morían.
Cada cual sabía que había otros pueblos que el suyo en
el mundo, a fuerza de fe; pero viajar por instrucción y
por curiosidad, ir a París, sobre todo, eso ya suponía
un hombre superior, extraordinario, osado, capaz de todo:
la marcha era una hazaña, la vuelta una solemnidad, y el
viajero, al divisar la venta del Espíritu Santo, exclamaba
estupefacto: _¡Qué grande es el mundo!_ Al llegar a París
después de dos meses de medir la tierra con los pies, hubiera podido exclamar con más razón: _¡Qué corto es
el año!_

A su vuelta, ¡qué de gentes le esperaban, y se apiña-
ban a su alrededor para cerciorarse de si había efectivamente París, de si se iba y se venía, de si era, en fin,
aquel mismo el que había ido, y no su ánima que volvía
sola! Se miraba con admiración el sombrero, los anteojos,
el baúl, los guantes, la cosa más diminuta que venía de
París. Se tocaba, se manoseaba, y todavía parecía imposible. ¡Ha ido a París! ¡Ha vuelto de París! ¡Jesús!...
Los tiempos han cambiado extraordinariamente: dos
emigraciones numerosas han enseñado a todo el mundo
el camino de París y Londres. Como quien hace lo más,
hace lo menos, ya el viajar por el interior es una pura
bagatela, y hemos dado en el extremo opuesto: en el
día se mira con asombro al que no ha estado en París;
es un punto menos que ridículo. ¿Quién será él, se dice,
cuando no ha estado en ninguna parte? Y efectivamente,
por poco liberal que uno sea, o está uno en la emigra-
ción, o de vuelta de ella, o disponiéndose para otra; el
liberal es el símbolo del movimiento perpetuo, es el mar
con su eterno flujo y reflujo. Yo no sé cómo se lo componen los absolutistas; pero para ellos no se han establecido las diligencias: ellos esperan siempre a pie firme
la vuelta de su Mesías; en una palabra, siempre son de
casa; este partido no tiene más movimiento que el del

caracol; toda la diferencia está en tener la cabeza fuera
o dentro de la concha. A propósito, ¿la tiene ahora dentro o fuera?

Volviendo empero a nuestras diligencias, no entraré en
la explicación minuciosa y poco importante para el público de las causas que me hicieron estar no hace muchos
días en el patio de la casa de postas, donde se efectúa
la salida de las diligencias llamadas *reales,* sin duda por
lo que tienen de efectivas. No sé qué tienen las diligencias
de común con Su Majestad; una empresa particular las
dirige, el público las llena y las sostiene. La misma duda
tengo con respecto a los *billares;* pero como si hubiera
yo de extender ahora en el papel todas mis dudas no
haría gran diligencia en el artículo de hoy, prescindiré
de digresiones, y diré en último resultado que ora fuese
a despedir a un amigo, ora fuese a recibirle, ora, en fin,
con cualquier otro objeto, yo me hallaba en el patio de
las diligencias.

No es fácil imaginar qué multitud de ideas sugiere el
patio de las diligencias; yo, por mi parte, me he convencido que es uno de los teatros más vastos que puede presentar la sociedad moderna al escritor de costumbres.

Todo es allí materiales, pero hechos ya y elaborados:
no hay sino ver y coger. A la entrada le llama a usted
ya la atención un pequeño aviso que advierte, pegado en
un poste, que nadie puede entrar en el establecimiento
público sino los viajeros, los mozos que traen sus fardos,
los dependientes y las personas que vienen a despedir o
recibir a los viajeros; es decir, que allí sólo puede entrar
todo el mundo. Al lado numerosas y largas tarifas indican las líneas, los itinerarios, los precios; aconsejaremos,
sin embargo, a cualquiera que reproduzca, al ver las listas
impresas, la pregunta de aquel palurdo que iba a entrar
años pasados en el Botánico con chaqueta y palo, y a
quien un dependiente decía: —No se puede pasar en ese
traje: ¿no ve el cartel puesto de ayer? —Sí, señor, contestó el palurdo, pero... ¿eso rige todavía?

Lea, pues, el curioso las tarifas y pregunte luego: verá
como no hoy carruajes para muchas de las líneas indi-
cadas; pero no se desconsuele, le dirán la razón. —*¡Como
los facciosos están por ahí, y por allí, y por más allá!...*
Esto siempre satisface; verá, además, cómo los precios
no son los mismos que cita el aviso; en una palabra, si
el curioso quiere proceder por orden, pregunte y lea
después, y si quiere atajar, pregunte y no lea. La mejor
tarifa es un dependiente; podrá suceder que no haya
quien dé razón; pero en ese caso puede volver a otra
hora, o no volver si no quiere.

El patio comienza a llenarse de viajeros y de sus familias y amigos; los unos se distinguen fácilmente de
los otros. Los viajeros entran despacio; como muy ente-
rados de la hora; están ya como en su casa; los que vienen a despedirles, si no han venido con ellos entran de
prisa y preguntando: —¿Ha marchado ya la diligencia?
¡Ah, no!; aquí está todavía. Los primeros tienen capa o
capote, aunque haga calor; echarpe al cuello y gorro griego o gorra, si son hombres; si son mujeres, gorro o papa-
lina, y un enorme ridículo; allí va el pañuelo, el abanico,
el dinero, el pasaporte, el vaso de camino, las llaves, ¡qué
más sé yo!

Los acompañantes, portadores de menos aparato, se
presentan vestidos de ciudad, a la ligera.

A la derecha del patio se divisa una pequeña habitación; agrupados allí los viajeros al lado de sus equipajes,
piensan el último momento de su estancia en la población: media hora falta sólo: una niña, ¡qué joven, qué
interesante!, apoyada la mejilla en la mano, parece exha-
lar la vida por los ojos cuajados en lágrimas; a su lado
el objeto de sus miradas procura consolarla, oprimiendo
acaso por última vez su lindo pie, su trémula mano...
"Vamos, niña, dice la madre, robusta e impávida matrona, a quien nadie oprime nada, y cuya despedida no es
la primera ni la última, ¿a qué vienen esos llantos? No
parece sino que nos vamos del mundo."

Un militar que va solo examina curiosamente las com-
pañeras de viaje; en su aire determinado se conoce que
ha viajado y conoce a fondo todas las ventajas de la
presión de una diligencia. Sabe que en diligencia el amor
sobre todo hace mucho camino en pocas horas. La naturaleza, en los viajes, desnuda de las consideraciones de
la sociedad, y muchas veces del pudor, hijo del conocimiento de las personas, queda sola y triunfa por lo regular. ¿Cómo no adherirse a la persona a quien nunca
se ha visto, a quien nunca se volverá acaso a ver, que
no le conoce a uno, que no vive en su círculo, que no
puede hablar ni desacreditar, y con quien se va encerrado dentro de un cajón dos, tres días con sus noches?
Luego parece que la sociedad no está allí: una diligencia viene a ser para los dos sexos una isla desierta; y en
las islas desiertas no sería precisamente donde tendría-
mos que sufrir más desaires de la belleza. Por otra parte,
¡qué franqueza tan natural no tiene que establecerse entre los viajeros! ¡Qué multitud de ocasiones de prestarse
mutuos servicios! ¡Cuántas veces al día se pierde un
guante, se cae un pañuelo, se deja olvidado algo en el
coche o en la posada! ¡Cuántas veces hay que dar la

mano para bajar o subir! Hasta el rápido movimiento
de la diligencia parece un aviso secreto de lo rápida que
pasa la vida, de lo precioso que es el tiempo; todo debe
ir de prisa en diligencia. Una salida de un pueblo deja
siempre cierta tristeza que no es natural al hombre; sabido es que nunca está el corazón más dispuesto a recibir
impresiones que cuando está triste; los amigos, los parientes que quedan atrás, dejan un vacío inmenso. ¡Ah!,
¡la naturaleza es enemiga del vacío!

Nuestro militar sabe todo esto, pero sabe también que
toda regla tiene excepciones, y que la edad de quince
años es la edad de las excepciones; pasa, pues, rápidamente al lado de la niña con una sonrisa, mitad burlesca,
mitad compasiva. —Pobre niña, dice entre dientes, lo
que es la poca edad; si pensará que no se aprecian las
caras bonitas más que en Madrid; el tiempo le enseñará
que es moneda corriente en todos los países.

Una bella parece despedirse de un hombre de unos
cuarenta años; el militar fija el lente; ella es la que
parte; hay lágrimas, sí, pero ¿cuándo no lloran las mujeres? Las lágrimas por sí solas no quieren decir nada;
luego hay cierta diferencia entre éstas y las de la niña;
una sonrisa de satisfacción se dibuja en los labios del
militar. Entre las ternezas de despedida se deslizan algunas frases, que no son reñir enteramente, pero poco
menos: hay cierta frialdad, cierto dominio en el hombre.
¡Ah!, es su marido. —Se puede querer mucho a su marido, dice el militar para sí, y hacer un viaje divertido.

—¡Voto va!, ya ha marchado, entra gritando un original, cuyos bolsillos vienen llenos de salchichón para el
camino, de frasquetes ensogados, de petacas, de gorros de
dormir, de pañuelos, de chismes de encender... ¡Ah!, ¡ah!
Éste es un verdadero viajero; su mujer le acosa a preguntas: —¿Se ha olvidado el pastel? —No, aquí le traigo.
—¿Tabaco? —No, aquí está. —¿El gorro? —En este bolsillo. —¿El pasaporte? —En este otro.

Su exclamación al entrar no carece de fundamento;
faltan sólo minutos, y no se divisa disposición alguna de
viaje. La calma de los mayorales contrasta singularmen-
te con la prisa y la impaciencia que se nota en las me-
nores acciones de los viajeros; pero es de advertir que
éstos al ponerse en camino alteran el orden de su vida
para hacer una cosa extraordinaria; el mayoral y el zagal
por el contrario hacen lo de todos los días.

Por fin, se adelanta la diligencia; se aplica la escalera
a sus costados; y la baca recibe en su seno los paquetes;
en menos de un minuto está dispuesta la carga, y salen
los caballos lentamente a colocarse en su puesto. Es de ver

la impasibilidad del conductor a las repetidas solicitudes de los viajeros. —A ver, esa maleta; que vaya donde se pueda sacar. —Que no se moje ese baúl. —Encima ese saco de noche. —Cuidado con la sombrerera. —Ese paquete, que es cosa delicada. Todo lo oye, lo toma, lo encajona, a nadie responde; es un tirano en sus dominios. —La hoja, señores, ¿tienen ustedes todos sus pasaportes? ¿Están todos? Al coche, al coche.

El patio de las diligencias es a un cementerio lo que el sueño a la muerte: no hay más diferencia que la ausencia y el sueño pueden no ser para siempre; no les comprende el terrible *voi ch'entrate lasciate ogni speranza*, de Dante.

Se suceden los últimos abrazos, se renuevan los últimos apretones de manos; los hombres tienen vergüenza de llorar y se reprimen, y las mujeres lloran sin vergüenza.

—Vamos, señores, repite el conductor; y todo el mundo se coloca. La niña, anegada en lágrimas, cae entre su madre y un viejo achacoso que va a tomar las aguas; la bella casada entre una actriz que va a las provincias, y que lleva sobre las rodillas una gran caja de cartón con sus preciosidades de reina y princesa, y una vieja monstruosa que lleva encima un perro faldero, que ladra y muerde por el pronto como si viese al aguador, y que hará probablemente algunas otras gracias por el camino. El militar se arroja de mal humor en el cabriolé, entre un francés que le pregunta: ¿Tendremos ladrones? y un fraile corpulento, que con arreglo a su voto de humildad y de penitencia, va a viajar en estos carruajes tan incómodos. La rotonda va ocupada por el hombre de las provisiones; una robusta señora que lleva un niño de pecho y un bambino de cuatro años, que salta sobre sus piernas para asomarse de continuo a la ventanilla; una vieja verde, llena de años y de lazos, que arregla entre las piernas del suculento viajero una caja de un loro, e hinca el codo para colocarse en el costado de un abogado, el cual hace un gesto, y vista la mala compañía en que va, trata de acomodarse para dormir, como si fuera ya juez. Empaquetado todo el mundo, se confunden en el aire los ladridos del perrito, la tos del fraile, el llanto de la criatura, las preguntas del francés, los chillidos del bambino, que arrea los caballos desde la ventanilla, los sollozos de la niña, los juramentos del militar, las palabras enseñadas del loro, y multitud de frases de despedida.

—Adiós, hasta la vuelta, tantas cosas a Pepe.
—Envíame el papel que se ha olvidado.

—Que escribas en llegando.
—Buen viaje.

Por fin suena el agudo rechinido del látigo, la mole
inmensa se conmueve, y estremeciendo el empedrado, se
emprende el viaje, semejante en la calle a una casa
que se desprendiese de las demás con todos sus trastos
e inquilinos a buscar otra ciudad en donde empotrarse
de nuevo.

1835.

## EL DUELO

Muy incrédulo sería preciso ser para negar que estamos en el siglo de las luces y de la más extremada civilización; el hombre ha dado ya con la verdad, y la razón
más severa preside a todas las acciones y costumbres de
la generación del año 1835.

Dejaremos a un lado, por no ser hoy de nuestro asunto, la perfección a que se ha llegado en punto a religión
y a política, dos cosas esencialísimas en nuestra manera
actual de existir, y a que los pueblos dan toda la importancia que indudablemente se merecen. En el primero
no tenemos preocupación ninguna, no abrigamos el más
mínimo error; y cuando decimos con orgullo que el hombre es el ser más perfecto, la hechura más acabada de
la creación, sólo añadimos a las verdades reconocidas otra
verdad más innegable todavía. Hacemos muy bien en tener vanidad. Si hemos adelantado en política, dígalo la
estabilidad que alcanzamos, la fijación de nuestras ideas
y principios; no sólo sabemos ya cuál es el buen gobierno, el único bueno, el verdadero secreto para constituir y conservar una sociedad bien organizada, sino
que lo sabemos establecer y lo gozamos con toda paz y
tranquilidad. Acerca de sus bases estamos todos acordes,
y es tal nuestra ilustración, que una vez reconocida la
verdad y el interés político de la sociedad, toda guerra
civil, toda discordia, viene a ser imposible entre nosotros;
así es que no las hay. Que hubiese guerras en los tiempos
bárbaros y de atraso, en los cuales era preciso valerse
hasta de la fuerza para hacer conocer al hombre cuál
era el Dios a quien había de adorar, o al rey a quien
había de servir..., nada más natural. Ignorantes entonces
los más, y poco ilustrados, no fijadas sus ideas sobre
ninguna cosa, forzoso era que fuesen presa de multitud
de ambiciosos, cuyos intereses estaban encontrados. Empero ahora, en el siglo de la ilustración, es cosa bien

difícil que haya una guerra en el mundo. Así es que
no las hay. Y si las hubiera sería en defensa de derechos
positivos, de intereses materiales, no de un apellido, no
del nombre de un ídolo. La prueba de esto mismo es
bien fácil de encontrar. Esa época de guerra, *que empieza
ahora*, en nuestras provincias, es indudablemente por derechos claros y bien entendidos; sobre todo, si alguno de
los partidos contendientes pudiese ir a ciegas en la lid,
e ignorar lo que defiende, no sería ciertamente el partido
más ilustrado, es decir, el liberal. Éste bien sabe por lo
que pelea; pelea por lo que tiene, por lo que le han con-
cedido, por lo que él ha conquistado.

En un siglo en que ya se ven las cosas tan claras, y
en que ya no es fácil abusar de nadie, en el siglo de las
luces, una de las cosas sobre que está más fijada la pública opinión es el honor, quisicosa que, *en el sentido
que en el día le damos*, no se encuentra nombrada en
ninguna lengua antigua. Hijo este *honor* de la Edad Media y de la confluencia de los godos y los árabes, se ha
ido comprendiendo y perfeccionando a tal grado, a la par
de la civilización, que en el día no hay una sola persona
que no tenga su honor a su manera; todo el mundo tiene
honor.

En los tiempos antiguos, tiempos de confusión y de
barbarie, el que faltando a otro abusaba de cualquier
superioridad que le daban las circunstancias o su atrevimiento, se infamaba a sí mismo, y sin hablar tanto de
honor quedaba deshonrado. Ahora es enteramente al revés. Si una persona baja o mal intencionada le falta a
usted, usted es el infamado. ¿Le dan a usted un bofetón?
Todo el mundo le desprecia a usted, no al que le dió.
¿Le faltan a usted su mujer, su hija, su querida? Ya no
tiene usted honor. ¿Le roban a usted? Usted robado queda pobre, y por consiguiente deshonrado. El que le robó,
que quedó rico, es un hombre de honor. Va en el coche
de usted y es un hombre decente, caballero. Usted se
quedó a pie, es usted gente ordinaria, canalla. ¡Milagros
todos de la ilustración!

En la historia antigua no se ve un solo ejemplo de un
duelo. Agamenón injuria a Aquiles, y Aquiles se encierra en su tienda, pero no le pide satisfacción; Alcibíades
alza el palo sobre Temístocles, y el gran Temístocles, según una expresión de nuestra moderna civilización, queda
como un cobarde.

El duelo, en medio de la duración del mundo, es una
invención de ayer; cerca de seis mil años se ha tardado
en comprender que cuando uno se porta mal con otro,
le queda siempre un medio de enmendar el daño que le

ha hecho, y este medio es matarle. El hombre es lento
en todos sus adelantos, y si bien camina indudablemente
hacia la verdad, suele tardar en encontrarla.

Pero una vez hallado el desafío, se apresuraron los
reyes y los pueblos, visto que era cosa buena, a erigir-
lo en ley, y por espacio de muchos siglos no hubo entre caballeros otra forma de enjuiciar y sentenciar que
el combate. El muerto, el caído, era el culpable siempre
en aquellos tiempos; la cosa no ha cambiado por cierto.
Siguiendo, empero, el curso de nuestros adelantos, se fueron haciendo cabida los jueces en la sociedad, se levantó
el edificio de los tribunales con su séquito de escribanos,
notarios, autos, fiscales y abogados, que dura todavía y
parece tener larga vida, y se convino en que los *juicios
de Dios* (así se había llamado a los desafíos jurídicos,
merced al empeño de mezclar constantemente a Dios en
nuestras pequeñeces) eran cosa mala. Los reyes entonces
alzaron la voz en nombre del Altísimo, y dijeron a los
pueblos: *No más juicios de Dios; en lo sucesivo nosotros
juzgaremos.*

Prohibidos los juicios de Dios, no tardaron en prohibir-
se los duelos; pero si las leyes dijeron: *No os batiréis*,
los hombres dijeron: *No os obedeceremos;* y un autor de
muy buen criterio asegura que las épocas de rigurosa
prohibición han sido las más señaladas por el abuso del
desafío. Cuando los delitos llegan a ser de cierto bulto,
no hay pena que los reprima. Efectivamente, decir a un
hombre: *No te harás matar, pena de muerte*, es provo-
carle a que se ría del legislador cara a cara; es casi tan
ridículo como la pena de muerte establecida en algunos
países contra el suicidio; sabia ley que determina que se
quite la vida a todo el que se mate, sin duda para su
escarmiento.

Se podría hacer a propósito de esto la observación general de que sólo se han obedecido en todos tiempos las
leyes que han mandado hacer a los hombres su gusto;
las demás se han infringido y han acabado por caducar.
El lector podrá sacar de esto alguna consecuencia importante.

Efectivamente, al prohibir los duelos en distintas épocas, no se ha hecho más que lo que haría un jardinero
que tirase la fruta queriendo acabarla; el árbol en pie
todos los años volvería a darle nueva tarea.

Mientras el *honor* siga entronizado donde se le ha puesto, mientras la opinión pública valga algo, y mientras la
ley no esté de acuerdo con la opinión pública, el duelo
será una consecuencia forzosa de esta contradicción social.
Mientras todo el mundo se ría del que se deje injuriar

impunemente, o del que acuda a un tribunal para decir:
*Me han injuriado*, será forzoso que todo agraviado elija
entre la muerte y una posición ridícula en sociedad. Para
todo corazón bien puesto la duda no puede ser de larga
duración: y el mismo juez que con la ley en la mano
sentencia a pena capital al desafiado indistintamente o
al agresor, deja acaso la pluma para tomar la espada en
desagravio de una ofensa personal.

Por otra parte, si se prescinde de la parte de preocupación más o menos visible o sublime del pundonor, y
si se considera en el duelo el mero hecho de satisfacer
una cuenta personal, diré francamente que comprendo
que el asesino no tenga derecho a quitar la vida a otro,
por dos razones: primera, porque se la quita contra su
gusto siendo suya; segunda, porque él no da nada en
cambio.

Los duelos han tenido sus épocas y sus fases enteramente distintas: en un principio se batían los duelistas
a muerte, a todas armas, y tras ellos sus segundos; cada
injuria producía entonces una escaramuza. Posteriormente se introdujo el duelo a primera sangre; el primero
le comprendo sin disculparle; el segundo ni le comprendo ni le disculpo; es de todas las ridiculeces la mayor;
los padrinos o testigos han sucedido a los segundos, y
su incumbencia en el día se reduce a impedir que su
mala fe abuse del valor o del miedo. Al arma blanca se
sustituye muchas veces la pistola, arma de cobarde, con
que nada le queda que hacer al valor sino morir; en que
la destreza es infame si hay superioridad, e inútil si hay
igualdad.

La libertad, empero, si no es la licencia de mi imaginación, me ha llevado más lejos de lo que yo pretendía
ir: al comenzar este artículo no era mi objeto explorar
si las sociedades modernas entienden bien el honor, ni si
esta palabra es algo; individuo de ellas y amamantado
con sus preocupaciones, no seré yo quien me ponga de
parte de unas leyes que la opinión pública repugna, ni
menos de parte de una costumbre que la razón reprueba.
Confieso que pensaré siempre en este particular como
Rousseau y los más rígidos moralistas y legisladores, y
obraré como el primer calavera de Madrid. ¡Triste lote
del hombre el de la inconsecuencia!

Mi objeto era referir simplemente un hecho de que no
ha muchos meses fuí testigo ocular; pero como yo no pre-
sencié, digámoslo así, más que el desenlace, mis lectores
me perdonarán si tomo mi relación *ab ovo*.

Mi amigo Carlos, hijo del marqués de..., era heredero
de bienes cuantiosos, que eran en él, al revés que en el

mundo, la menos apreciable de sus circunstancias. Ado-
rado de sus padres, que habían empleado en su educación cuanto esmero es imaginable. Carlos se presentó en
el mundo con talento, con instrucción, con todas esas su-
perfluidades de primera necesidad, con una herencia capaz
de asegurar la fortuna de varias familias, con una figura
a propósito para hacer la de muchas mujeres, y con un
carácter destinado a constituir la de todo el que de él
dependiese.

Pero desgraciadamente la diferencia que existe entre
los necios y los hombres de talento suele ser sólo que los
primeros dicen necedades, y los segundos las hacen: mi
amigo entró en sociedad, y a poco tiempo hubo de enamorarse; los hombres de imaginación necesitan mujeres
muy picantes o muy sensibles, y esta especie de mujeres deben de ser mejores para ajenas que para propias. La
joven Adela era sin duda alguna de las picantes: hermosa a sabiendas suyas, y con una conciencia de su
belleza acaso harto pronunciada; sus padres habían tratado de adornarla de todas las buenas cualidades de sociedad; la sociedad llama buenas cualidades en una mujer lo que se llama alcance en una escopeta y tino en
un cazador; es decir, que se había formado a Adela como
una arma ofensiva con todas las reglas de la destrucción:
en punto a la coquetería era una obra acabada, y capaz
de acabar con cualquiera; muy poco sensible, en realidad,
podía fingir admirablemente todo ese sentimentalismo sin
el cual no se alcanza en el día una sola victoria; cantaba
con una languidez mortal; le miraba a usted con ojos de
víctima expirante, siendo ella el verdugo; bailaba como
una sílfide desmayada; hablaba con el acento del candor y
de la conmoción; y de cuando en cuando un destello de
talento o de gracia iluminaba su tétrica conversación,
como un relámpago derrama una ráfaga de luz sobre una
noche oscura.

¿Cómo no adorar a Adela? Era la verdad entre la
mentira, el candor entre la malicia, decía mi amigo al
verla en el gran mundo; era el cielo en la tierra.

Los padres no deseaban otra cosa: era un partido brillante, la boda era para entrambos una especulación; de
suerte que lo que sin razón de Estado no hubiera pasado
de ser un amor, una calamidad, pasó a ser un matrimonio. Pero cuando el mundo exige sacrificios los exige com-
pletos, y el de Carlos lo fué; la víctima debía ir adornada al altar. Negocio hecho: de allí a poco Carlos y
Adela eran uno.

He oído decir muchas veces que suele salir de una
coqueta una buena madre de familia; también suele salir

de una tormenta una cosecha; yo soy de opinión que la
mujer que empieza mal acaba peor. Adela fué un ejemplo de esta verdad; medio año hacía que se había unido
con santos vínculos a Carlos; la moda exigía cierta se-
paración, cierto abandono. ¿Cuánto no se hubiera reído
el mundo de un marido atento a su mujer? Adela, por
otra parte, estaba demasiado bien educada para hacer caso
de su marido. ¡La sociedad es tan divertida y los jóvenes
tan amables! ¿Qué hace usted en un rigodón si le opri-
men la mano? ¿Qué contesta usted si la repiten cien veces
que es interesante? Si tiene usted visita todos los días,
¿cómo cierra usted sus puertas? Es forzoso abrirlas, y
por lo regular de par en par.

Un joven del mejor tono fué más asiduo y mañoso, y
Adela abrazó por fin las reglas del gran mundo: el joven
era orgulloso, y entre el cúmulo de adoradores de camino trillado parecía despreciar a Adela; con mujeres
coquetas y acostumbradas a vencer, rara vez se deja de
llegar a la meta por ese camino. ¡Adela no quería faltar
a su virtud..., pero Eduardo era tan orgulloso!... Era preciso humillarlo; esto no era malo; era un juego; siempre
se empieza jugando. Cómo se acaba no lo diré; pero así
acabó Adela como se acaba siempre.

La mala suerte de mi amigo quiso que entre tanto
marido como llega a una edad avanzada diariamente con
la venda de himeneo sobre los ojos, él sólo entreviese primero su destino, y lo supiese después positivamente. La
cosa desgraciadamente fué escandalosa, y el mundo exigía
una satisfacción. Carlos hubo de dársela. Eduardo fué
retado, y llamado yo como padrino, no pude menos de
asistir a la satisfacción.

A las cinco de la mañana estábamos los contendientes
y los padrinos en la puerta de..., de donde nos dirigimos
al teatro frecuente de esta especie de luchas. Ésta no era
de aquellas que debían acabar con un almuerzo. Una mujer había faltado, y el *honor* exigía en reparación la muerte de dos hombres. Es incomprensible, pero es cierto.

Se eligió el terreno, se dió la señal, y los dos tiros
salieron a un tiempo: de allí a poco había expirado un
hombre útil a la sociedad. Carlos había caído, pero habían quedado en pie su *mujer* y su *honor*.

Un año hizo ayer de la muerte de Carlos; su familia,
sus amigos le lloran todavía.

—¡He aquí el mundo!, ¡he aquí el honor!, ¡he aquí el
duelo!

1835.

# EL ÁLBUM

El escritor de costumbres no escribe exclusivamente para esta o aquella clase de la sociedad, y si le puede suceder el trabajo de no ser de ninguna de ellas leído, debe de figurarse al menos, mientras que su modestia o su desgracia no sean suficientes a hacerle dejar la pluma, que escribe imparcialmente para todos. Ni los colores que han de dar vida al cuadro de las costumbres de un pueblo o de una época pudieran por otra parte tomarse en un cálculo determinado y reducido; la mezcla atinada de todas las gradaciones diversas es la que puede únicamente formar el todo, y es forzoso ir a buscar en distintos puntos las tintas fuertes y las medias tintas, el claro y oscuro, sin los cuales no habría cuadro.

La cuna, la riqueza, el talento, la educación, a veces obrando separadamente, obrando otras que su consuno, han subdividido siempre a los hombres hasta lo infinito, y lo que se llama en general la sociedad es una amalgama de mil sociedades colocadas en escalón, que sólo se rozan en sus fronteras respectivas unas con otras, y las cuales no reúnen en un todo compacto en cada país sino el vínculo de una lengua común, y de lo que se llama entre los hombres patriotismo o nacionalismo. Hay más puntos de contacto entre una reunión de *buen tono* de Madrid y otra de Londres o de París, que entre un habitante de un cuarto principal de la calle del Príncipe y otro de un cuarto bajo del Avapiés, sin embargo de ser estos dos españoles y madrileños.

Sabiendo esto, el escritor de costumbres no desdeña muchas veces salir de un brillante *rout*, o del más elegante sarao, y previa la conveniente transformación de traje, pasar en seguida a contemplar una escena animada de un mercado público, o entrar en una simple horchatería a ser testigo del modesto refresco de la capa inferior del pueblo, cuyo carácter trata de escudriñar y bosquejar.

¡Qué de costumbres diversas establecidas en una atmósfera, que en otra inferior, ni aun sabiéndolas se comprenderían! El título de este artículo, sin ir más lejos, es verdadero griego para la inmensa mayoría que compone este pueblo. No harán, pues, un gesto de desagrado nuestras elegantes lectoras cuando vean explicar la significación de nuestro título: esta explicación no es ciertamente para ellas; pero nosotros no tenemos la culpa si su extraordinaria delicadeza y si su civilización llevada al extremo, que forma de ellas un pueblo aparte, y pueblo escogido, nos pone en el caso de empezar por traducir hasta las palabras de su elegante vocabulario, cuando queremos dar cuenta al público entero de los usos de su impagable sociedad.

El que la voz *álbum* no sea castellana es para nosotros, que ni somos ni queremos ser *puristas*, objeción de poquísima importancia; en ninguna parte hemos encontrado todavía el pacto que ha hecho el hombre con la divinidad ni con la naturaleza de usar de tal o cual combinación de sílabas para explicarse; desde el momento en que por mutuo acuerdo una palabra se entiende, ya es buena; desde el punto en que una lengua es buena para hacerse entender en ella, cumple con su objeto, y mejor será indudablemente aquella cuya elasticidad le permite dar entrada a mayor número de palabras exóticas, porque estará segura de no carecer jamás de las voces que necesite: cuando no las tenga por sí, las traerá de fuera. En esta parte diremos de buena fe lo que ponía Iriarte irónicamente en boca de uno que *estropeaba* la lengua de Garcilaso.

"Que si él habla lengua castellana,
yo hablo la lengua que me da la gana."

Pasando por alto este inconveniente, el *álbum* es un enorme libro, en cuya forma es esencial condición que se observe la del papel de música. Debe de estar, como la mayor parte de los hombres, por de fuera, encuadernado con un lujo asiático, y por dentro en blanco; su carpeta, que será más elegante si puede cerrarse a guisa de cartera, debe ser de la materia más rica que se encuentre, adornada con relieves del mayor gusto, y la cifra o las armas del dueño: lo más caro, lo más inglés, eso es lo mejor; razón por la cual sería muy difícil lograr en España uno capaz de competir con los extranjeros. Sólo el conocido y el hábil *Alegría* podría hacer una cosa que se aproximase a un *álbum* decente. Pero, en cambio, es bueno advertir que una de las circunstancias que debe tener es que se pueda decir de él: "Ya me han traído el *álbum* que encargué a Londres." También se puede decir en lugar de Londres, París; pero es más vulgar, más trivial. Por tanto, nosotros aconsejamos a nuestras lectoras que digan *Londres*: lo mismo cuesta una palabra que otra; y por supuesto que digan de todas suertes que se lo han enviado de fuera, o que lo han traído ellas mismas cuando estuvieron allá la primera, la segunda, o cualquiera vez, y aunque sea obra de *Alegría*.

¿Y para qué sirve, me dirá otra especie de lectores, ese gran librote, esa especie de misal, tan rico y tan enorme, tan extranjero y tan raro? ¿De qué trata?

Vamos allá. Ese librote es, como el abanico, como la sombrilla, como la tarjeta, un mueble enteramente de uso de señora, y una elegante sin *álbum* sería ya en el día un cuerpo sin alma, un río sin agua, en una palabra, una especie de Manzanares. El *álbum*, claro está, no se lleva en la mano, pero se transporta en el coche; el *álbum* y el *coche* se necesitan mutuamente: lo uno no puede ir sin lo otro; es el agua con el chocolate; el *álbum* se envía además con el lacayo de una parte a otra. Y como siempre está yendo y viniendo, hay un lacayo destinado a sacarle; el lacayo y el *álbum* es el ayo y el niño.

*¿De qué trata?* No trata de nada; es un libro en blanco. Como una bella conoce de rigor a los hombres de talento en todos ramos, es un libro el *álbum* que la bella envía al hombre distinguido para que éste estampe en una de sus inmensas hojas, si es poeta, unos versos; si es pintor, un dibujo; si es músico, una composición, etc. En su verdadero objeto es un repertorio de la vanidad; cuando una hermosa, por otra parte, le ha dispensado a usted la lisonjera distinción de suplicarle que incluya algo en su *álbum*, es muy natural pagarle en la misma moneda; de aquí el que la mayor parte de los versos contenidos en él suelen ser variaciones de distintos autores sobre el mismo tema de la hermosura y de la amabilidad de su dueño. Son distintas fuentes donde se mira y se refleja un solo Narciso. El *álbum* tiene una virtud singular, por la cual deben apresurarse a hacerse con él todas las elegantes que no lo tengan, si hay alguna a la sazón en Madrid: hemos reparado que todas las dueñas de *álbum* son hermosas, graciosas, de gran virtud y talento, y amabilísimas; así consta a lo menos en todos estos libros en blanco, conforme van tomando color.

Como el caso es tener un recuerdo, propio intrínsecamente de la persona misma, es indispensable que lo que se estampe vaya de puño y letra del autor; un *álbum*, pues, viene a ser un *panteón* donde vienen a enterrarse en calidad de préstamos adelantados hechos a la posteridad una porción de notabilidades; a pesar de que no todos los hombres de mérito de un *álbum* lo son igualmente en las edades futuras. Y como por una distinción de exquisito precio, la amistad participa del privilegio del mérito, de poner algo en el *álbum*, y como se puede ser muy buen amigo y no tener ninguna especie de mérito, un *álbum* viene a ser frecuentemente, más bien que un panteón, un cementerio, donde están enterrados, tabique

por medio, los tontos al lado de los discretos, con la única
diferencia de que los segundos honran el *álbum*, y éste
honra a los primeros.

Sabido el objeto del *álbum*, cualquiera puede conocer
la causa a que debe su origen: el orgullo del hombre se
empeña en dejar huellas de su paso por todas partes; en
rigor, las pirámides famosas ¿qué son sino la firma de
los Faraones en el gran *álbum* de Egipto? Todo monumento es el *facsímile* del pueblo que le erigió, estampado
en el grande *álbum* del triunfo. ¿Qué es la Historia sino
el *álbum* donde cada pueblo viene a depositar sus obras?

La Alhambra está llena de los nombres de viajeros ilus-
tres que no han querido pasar adelante sin enlazar con
aquellos grandes recuerdos sus grandes nombres; esto que
es lícito en un hombre de mérito, confesado por todos, es
risible en un desconocido, y conocemos un sujeto que se ha
puesto en ridículo en sociedad por haber estampado en
las paredes de la venerable antigüedad de que acabamos
de hablar, debajo del letrero puesto por Chateaubriand:
"Aquí estuvo también Pedro Fernández el día tantos de
tal año." Sin embargo, la acción es la misma, por parte
del que la hace.

He aquí cómo motiva el origen de la moda del *álbum*
un autor francés, que escribía como nosotros un artículo
de costumbres acerca de él el año 11, época en que comenzó a hacer furor esta moda en París.

"El origen del *álbum* es noble, santo, majestuoso. San
Bruno había fundado en el corazón de los Alpes la cuna
de su orden: dábase allí hospitalidad por espacio de tres
días a todo viajero. En el momento de su partida se le
presentaba un registro, invitándole a escribir en él su
nombre, el cual iba acompañado por lo regular de algunas frases de agradecimiento, frases verdaderamente ins-
piradas. El aspecto de las montañas, el ruido de los to-
rrentes, el silencio del monasterio, la religión grande y
majestuosa, los religiosos humildes y penitentes, el tiempo despreciado y la eternidad siempre presente, debían
de hacer nacer bajo la pluma de los huéspedes que se
sucedían en la augusta morada altos pensamientos y delicadas expresiones. Hombres de gran mérito deposita-
ron en este repetorio cantidad de versos y pensamientos
justamente célebres. El *álbum* de la Gran Cartuja es
incontestablemente el padre y modelo de los *álbums*."

Esta afición, recién nacida, cundió extraordinariamente; los ingleses asieron de ella; los franceses no la des-
preciaron, y todo hombre de alguna celebridad fué puesto
a contribución: el valor por consiguiente de un *álbum*
puede ser considerable; una pincelada de Goya, un ca-

pricho de David, o de Vernet, un trozo de Chateaubriand, o de lord Byron, la firma de Napoleón, todo esto puede llegar a hacer de un *álbum* un mayorazgo para una familia.

Nuestras señoras han sido las últimas en esta moda como en otras, pero no las que han sabido apreciar menos el valor de un *álbum;* ni es de extrañar: el libro en blanco es un templo colgado todo de sus trofeos; es su *lista civil,* su presupuesto, o por lo menos el de su amor propio. Y en rigor, ¿qué es una bella sino un *álbum,* a cuyos pies todo el que pasa deposita su tributo de admiración? ¿Qué es su corazón muchas veces sino *álbum?* Perdónesenos la atrevida comparación; pero ¡dichoso el que encuentra en esa especie de *álbum* todas las hojas en blanco! ¡Dichoso el que no pudiendo ser el primero (no pende siempre de uno el madrugar) puede ser siquiera el último!

El *álbum* no se llama nunca el *álbum,* sino mi *álbum;* esto es esencial. En rigor, las señoras no han tomado de él más que la parte agradable; todos los inconvenientes están de parte de los que han de quitarle hoja a hoja la calidad de *blanco.* ¡Qué admirable fecundidad no se necesita para grabar un cumplimiento, por lo regular el mismo, y siempre de distinto modo, en todos los *álbums* que vienen a parar a manos de uno! Luego, ¡hay tantas mujeres a quienes es más fácil profesar amor que decírselo! ¡Cuánta habilidad no es menester para que, comparados después estos diversos depósitos, no pueda picarse ningún amor propio! ¡Qué delicadeza para decir galanterías, que no sean más que galanterías, a una hermosa, de la cual sólo se conoce el *álbum!*

Si éste es el mueble indispensable de una mujer de moda, también es la desesperación del poeta, del hombre de mérito, del amigo. Siempre se espera mucho del talento, y nunca es más difícil lucirle que en semejantes ocasiones.

Nosotros, para tales casos, si en ellos nos encontrásemos, reclamaríamos siempre toda indulgencia, y no concluiremos este artículo sin recordar a las hermosas que cada una de ellas no tiene más que un *álbum* que dar a llenar, y que cada poeta suele tener a la vez varios a que contribuir.

1835.

# LAS ANTIGÜEDADES DE MÉRIDA

## PRIMER ARTÍCULO

Hace mucho tiempo creo haber dado cuenta a mis lectores de cierta inconstancia y versatilidad, bases de mi carácter, el cual podría muy bien venir a ser el de no tener ninguno; yo no sé si hace demasiada falta el carácter para vivir, pero en caso de duda bien se podrían encontrar no lejos de nosotros multitud de ejemplares de gentes que no teniendo ninguno conocido, no sólo aciertan a vivir, sino que están sanas y gordas, y aun cómodamente establecidas.

Ahora bien; aquella comezón singular, aquel mi prurito de mudar de casa, que puse en conocimiento del público en uno de mis artículos titulado *Las casas nuevas*, cuyo título recuerdo porque no estoy muy seguro de que se acuerde todo el mundo de mis artículos tan bien como yo, debía llegar a ser con el tiempo, según ya entonces se anunciaba, síntoma de más grave importancia. Afición naciente entonces, creíala contentar yo siempre, inocente de mí, con pasar de un barrio de Madrid a otro, de una calle a su vecina, de un piso al que encima o debajo tenía. Pero sucedió con ella lo que con toda afición mal reprimida: de idea pasajera pasó a idea fija, y no cortado el mal en su principio, debía llegar a ser una pasión devoradora de mudar de sitio, pasión que indudablemente me hubiera llevado al sepulcro, como todas las pasiones vehementes, a no verse satisfecha.

Felizmente, el mundo es grande, mucho más grande que yo, y es de esperar, por mi fortuna, que sea todavía más grande que mi pasión de movilidad. ¿Qué hago ya en Madrid, exclamé una mañana, después de haberle rodado en todas direcciones, en este Madrid, tan limitado como todas nuestras cosas, en el cual no puede uno echarse a la calle un día con ánimo de andar sin encontrarse a los cuatro pasos con la puerta de Atocha o la de Alcalá, con el campo de los Moros o la pradera de los Guardias? ¿En este Madrid, que sólo se puede comparar en eso con nuestra libertad, dentro de la cual no puede uno aventurarse a moverse sin tropezar con una traba? ¿Qué hago en Madrid?, me dije. Primero es preciso saber si hay alguien que haga algo en Madrid. Todo es chico en Madrid: no quepo en el teatro; no quepo en el café; no quepo en los empleos; todo está lleno, todo obstruido, refugiado, escondido, empotrado en un rincón de la Revista Española...;

*j'etouffe.* Fuera, pues, de Madrid; no bien lo había dicho, un mozo llevaba ya debajo del brazo el equipaje de *Fígaro*, más ligero que unas poesías fugitivas. Un lente para observar a los hombres, recado de escribir para bosquejarlos y mi mal o buen humor para reírme de los más de ellos. *Omnia mea mecum porto.*

El carruaje marchaba lentamente; sin embargo, no era carruaje del Gobierno, y tardé en perder de vista el delicioso empedrado, las desiguales cúpulas de los numerosos conventos que, semejantes al espectro descrito por Virgilio, hunden su planta en los abismos y esconden su cabeza en las nubes, ocupándolo todo. De cuando en cuando volvía la cabeza a mirar atrás, no como Héctor hacia su Andrómaca, sino que me parecía oír todavía fuera de puertas el ruido de los abogados y poetas del café del Príncipe; resonaba en mis oídos la canturia monótona de nuestros actores cómicos; oía las silbas dadas a nuestros ingenios clásicos y románticos; perseguíame la deuda interior como un remordimiento; sin embargo, yo no la había arreglado: las reformas eran las únicas que no me perseguían, ellas debían de ser sin duda las perseguidas.

El ruido se iba por fin apagando, y Castilla entretanto desarrollaba a mi vista el árido mapa de su desierto arenal, como una infeliz mendiga despliega a los ojos del pasajero su falda raída y agujereada en ademán de pedirle con qué cubrir sus macilentas y desnudas carnes. Un gemido sordo pero prolongado había sustituido al ruidoso murmullo de la ciudad populosa: era la contribución que resonaba por el yermo. *Felicidad,* decía el segundo con acento irónico para el que sabía oírle; *miseria,* decía el primero con acento de verdad y de desesperación.

No eran ciertamente los pueblos los que podían estorbarme en el camino; viajando por España se cree uno a cada momento la paloma de Noé, que sale a ver si está habitable el país y el carruaje vaga solo, como el arca, en la inmensa extensión del más desnudo horizonte. Ni habitaciones ni pueblos. ¿Dónde está la España?

Tres días rodamos por el vacío; hacia el fin del cuarto una explanada sin límites se desenvolvió a mis ojos, y se dibujaban en el fondo pálido de un cielo nebuloso los confusos y altísimos vestigios de una magnífica población. ¿Hay hombres por fin allí?, me pregunté. No; los ha habido. Eran las ruinas de la antigua *Emerita-Augusta.*

La humilde Mérida, semejante a las aves nocturnas, hace su habitación en las altas ruinas. Es un hijo raquítico, que apenas alienta, cobijado por la rica faldamenta de una matrona decrépita. Es un niño dormido en brazos de un gigante.

Mérida es indudablemente una de las poblaciones, mejor diremos uno de los recuerdos más antiguos de nuestra España. Sus fundadores eligieron un terreno fértil, un clima productor y un río cuyas aguas, pérfidamente mansas como la sonrisa de una mujer, debían regar una campiña deleitosa. Convencidos de las ventajas de su posición, los dominadores del mundo la llevaron al más alto grado de esplendor; y es fama conservada por los más de nuestros autores que ha tenido un millón de habitantes. Erigida en *colonia romana*, y gozando de todos los fueros e inmunidades de tal, fué la segunda ciudad del imperio y el sitio de descanso a que aspiraban altos funcionarios y guerreros cansados del aplauso de la victoria.

La caída del imperio, las irrupciones de los vándalos y de los godos, la dominación de árabes, han pasado como un trillo sobre la frente de Mérida, y no han sido bastantes a allanar y nivelar su suelo, incrustado de colosales bellezas romanas; las habitaciones han desaparecido carcomidas por el tiempo, pero las altas ruinas al desplomarse han desigualado la llanura y han formado, reducidas a polvo, un segundo suelo artificial y enteramente humano sobre el suelo primitivo de la naturaleza. Se puede asegurar que no hay una piedra en Mérida que no haya formado parte de una habitación romana; nada más común que ver en una pared de una choza del siglo XIX un fragmento de mármol o de piedra, labrado, de un palacio del siglo I. Zaguanes hemos visto empedrados con lápidas y losas sepulcrales, y un labrador, creyendo pisar la tierra, huella todos los días con su rústica suela el *aquí yace* de un procónsul o la advocación de un dios. Trozos de jaspe de un trabajo verdaderamente romano no tienen aquí otro museo que una cuadra, y sirven de pesebre al bruto que acaban de desuncir del arado. Diariamente el azadón de un extremeño tropieza en su camino con los manes de un héroe, y es común allí el hallazgo de una urna cineraria o de un tesoro numismático coetáneo de los emperadores. Lo que es más asombroso: gran número de cosecheros se sirven aún en sus bodegas de las mismas tinajas romanas, que se conservan empotradas en sus suelos y cuyo barro duradero, impuesto de tres capas diferentes superpuestas y admirablemente unidas, parece desafiar todavía al tiempo por más siglos de los que lleva vividos. Las vasijas mismas que se construyen en el país tienen una forma elegante y participan de un carácter respetable de antigüedad que difícilmente puede ocultarse a la perspicacia de un arqueólogo.

Una vez en Mérida, y rodeado de ruinas, la imaginación cree percibir el ruido de la gran ciudad, el son confuso de las armas, el *hervir vividor* de la inmensa población romana. ¡Error! Un silencio sepulcral y respetuoso no es interrumpido siquiera por el *aquí fué* del hombre reflexivo y meditador.

1835.

# LAS ANTIGÜEDADES DE MÉRIDA

## SEGUNDO Y ÚLTIMO ARTÍCULO

Mi primer cuidado en Mérida fué hacerme con un *cicerone;* pero no afreciéndome alicientes la entrevista con ningún *literato* del país ni queriendo que me contase ningún pedante lo que acaso sabría yo mejor que él, después de haber buscado inútilmente en aquel museo del tiempo alguna historia de las antigüedades o de la misma ciudad, sólo traté de sorprender la tradición popular en su curso, y atúveme a un extremeño que se me presentó como el hombre más instruído del común del pueblo acerca de las bellezas de Mérida, y que haría, por tanto, oficio de enseñarlas.

Mi *cicerone* era una verdadera ruina, no tan bien conservada como las romanas; sus piernas plegaban en arco, como si el peso de la cabeza hubiese sido por mucho tiempo oneroso a la base del edificio; sus brazos pendían también como dos arcos laterales cuyo pie hubiesen carcomido los ramales de un río que hubiesen lamido por muchos años los costados del hombre. La cara hubiera dado lugar a las más graves investigaciones de una academia: semejante a una moneda largo tiempo enterrada y tomada a trechos del orín y de la tierra, sus facciones estaban medio borradas, y ora parecían letras en estilo lapidario, ora vistas a otra luz, semejaban algo un rostro humano maltratado por la intemperie o la incuria de sus guardianes. La fecha no se conocía, y aquel fragmento podía ser de varias épocas. Su desigual cabello, blandamente meneado por el viento, remedaba esa hierbecilla que por entre las cornisas y coronamiento de una torre antigua hace nacer la humedad; sus dientes eran almenados, y la posición inclinada del cuerpo todo, fuera al parecer del centro de gravedad, le hacía parecer una pared que comienza a cuartearse, cuyas grietas hubiesen sido la boca y los ojos, me trajo a la memoria la célebre torre de Pisa.

Tal se me representó a mí al menos mi *cicerone:* tal me pintaba mi imaginación cuanto en Mérida veía.

—¿De qué año es usted, buen hombre? —no pude menos de preguntarle.

—Tres duros y medio, señor —me contestó, en estilo monetario, queriéndome decir que tenía tantos años como reales aquellas medallas.

—Pardiez, no le hubiera creído tan del día. ¿Y usted es el que suele enseñar a los viajeros las otras ruinas de esta ciudad?

—Sí, señor..., estoy algo enterado...

—¿Y vienen muchos viajeros?

—Extranjeros, sí, señor. Ingleses, sobre todo, y se han solido llevar algunas cosas. Pintan ahí, y dibujan, y escriben, y qué sé yo...; nos muelen a preguntas... Parecen locos los ingleses. Pero españoles, señor, pocos: los más pasan sin preguntar; como no vengan de estancia al pueblo...

—Mérida ha sido gran ciudad —interrumpí al hombre de la tradición, poniéndonos en camino para recorrer las antigüedades y siguiendo a la que me servía de guía.

—¡Oh! Sí, señor. La Historia dice que tenía ochenta puertas y que cada puerta estaba guardada por cuatrocientos soldados de a pie y ciento de caballería; tenía cuatro palacios magníficos en los cuatro ángulos, que eran de cuatro príncipes muy ricos.

—Y estas ruinas ¿son muy antiguas?

—¡Vaya!

—¿De los romanos todas?

—¡Qué! Más antiguas, señor, mucho más; de los moros, y de los godos, y de los... qué sé yo de cuánta casta de gentes... mucho antes de los romanos.

—¡Hola! Perfectamente.

En esto llegábamos al puente, verdadera obra romana: colocado sobre uno de los puntos en que presenta el río mayor latitud, más de sesenta ojos espaciosos le dan una longitud que se pierde de vista; él solo es una historia de las dominaciones que han pasado por nuestro suelo; sólo las dos cabezas, en una extensión regular, se conservan puras e intactas; remendado lo demás, a trechos, ora por los godos, ora por los árabes, la distinta forma de los espolones, el color de la piedra y su diversa labor revelan las fechas de las composturas: la más moderna es la mayor, y se hizo a costa de los tributos rendidos por los pueblos de cincuenta leguas a la redonda. Nuestras pobres piedras, unidas con hierro y argamasa, declaran toda la debilidad de nuestros medios, al lado de los pedruscos romanos, cuya única trabazón consiste en su colocación y que durarán todavía más que las nuestras.

Perdíase mi fantasía en la investigación de los tiempos: romano ya enteramente, figurábaseme ver el dios tutelar del río que, levantando la espalda colosal, repelía indignado la mísera traba que la moderna arquitectura osaba enlazar a la antigua sobre sus ondas, cuando la voz de mi *cicerone*, semejante a un aire colado, me sacó de mi estupor, y volviéndome hacia un nicho de ladrillo levantado sobre el trozo más romano del puente, en el cual se divisaba una pequeña e informe efigie de yeso, me dijo:

—Éste, señor, es San Antonio.

—¡Muy poderosa es una religión —exclamé, cayendo de más alto que la catarata del Niágara— que ha podido colocar esa efigie de yeso sobre este puente romano! ¡El agua se ha llevado los dioses; sus piedras han durado más que ellos; y nuestro yeso dura más que ellos y sus piedras!

Dos acueductos magníficos enriquecían de aguas a Mérida; otro moderno parece elevado entre los antiguos como una parodia de piedra, como una insolencia, como un insulto y una befa hecha al poder caído; sin embargo, las ruinas son las triunfantes; arcos colosales y gigantes asombran la vista; allí todo es obra del hombre, que ha hecho hasta la piedra; no son ya trozos cortados de una cantería: el hombre ha cogido la tierra y el guijo, lo ha amasado entre sus manos como harina y ha hecho una mole indestructible, una argamasa compacta, a la cual el tiempo ha dado la última mano, prestándole al mismo tiempo color; y sobre la cual salta en pedazos el pico de hierro: el poder del hombre se estrella en su propia obra.

Uno de los dos acueductos romanos parecía no tener otro objeto que formar un gran depósito de aguas destinado a una *naumaquia*, gran diversión de un gran pueblo, para quien era sólo obra del deseo el crear un mar en medio de la tierra.

—Éste es —me dijo gravemente mi *cicerone* al llegar a la *naumaquia*, casi terraplenada por el tiempo—, éste es el baño de los moros.

—Gracias, buen hombre —le respondí lleno de agradecimiento—. ¿Y como cuántos moros cabrían en este baño? —le pregunté.

—¡Uy! ¡Figúrese usted! —me dijo con aire de respeto y voz solemne, como aterrado del número de los moros y de la capacidad del baño.

El trozo mejor conservado es el circo; las ruinas han designado el terreno, sin embargo, elevándolo sobre su antiguo nivel hasta el punto de enterrar varias de las puertas que le daban entrada; pero se distinguen todavía en-

teras muchas de las divisiones destinadas a las fieras y
a los reos y atletas; la gradería, perfectamente buena
a trechos, parece acabarse de desocupar, y cree uno oír
el crujido de las clámides y las togas barriendo los escalones.

—Ésta era —me dijo mi *cicerone*— la plaza de los
toros: por allí salía el toro —me añadió, indicándome una
puerta medio terraplenada—, y por aquí —concluyó en
voz baja y misteriosa, enseñándome la jaula de una fie-
ra— entraban el Viático cuando el toro hería a alguno
de muerte.

Una ruidosa carcajada, que no fuí dueño de contener,
resonó por el ancho y destrozado circo, y pasamos a ver
el anfiteatro, peor conservado; el hipódromo, apenas reco-
nocible por la meta, y de allí nos dirigimos hacia la *vía
romana*, vulgo en el país *calzada romana;* aquí es tradición que debe de haber muchos sepulcros: se han hallado,
efectivamente, algunos. Sabida es la costumbre de los romanos de colocar los sepulcros a orillas de los caminos,
por la cual ellos solían en sus epitafios dirigir la palabra
a los pasajeros.

Nosotros, al heredar las frases hechas y las locuciones
enteras de su lenguaje, sin heredar sus costumbres, hemos tenido que hacer metafóricas sus expresiones propias; así, cuando hablamos de las cenizas de un muerto,
que nosotros no quemamos, y cuando en un epitafio apos-
trofamos a un viajero que no ha de ver a orillas del
camino nuestro sepulcro, cometemos, según los hablistas,
una belleza, llamada figura retórica, y según mi entender,
una tontería, que pudiera llamarse *decir una cosa por otra*.

A la parte opuesta de Mérida suélense encontrar sepulcros de niños, a juzgar por sus dimensiones.

El arco de Trajano, colocado en el centro de la actual
población, está en buen estado, y lo que me asombró
fué encontrar en dos nichos laterales de su parte interior
dos estatuas de mármol blanco, de un trabajo acabado y
del gusto griego más puro; considerablemente maltrata-
das, en verdad, pero muy capaces de lucir como dos trozos
antiguos de primer orden, y digo que esto me asombró
por dos razones: primera, porque en Madrid creo haber
visto un museo de escultura extraordinariamente pobre;
segunda, porque la posteridad de los romanos se divierte
en acabar de desmoronar a pedradas la obra de algún
Fidias del imperio.

A un tiro de bala de Mérida existe una capilla dedi-
cada a Santa Olalla, patrona de la que fué *colonia romana*, llamada *el hornillo de la Santa*, por haber sido mar-
tirizada allí; está construída con fragmentos de un tem-

plo de Marte; el viajero no se cansa de admirar los relieves, los trozos de columnas; aquel pequeño monumento
se me representa un hombre de una estatura colosal a
quien el tiempo y los achaques hubiesen encorvado y reducido a la altura de un enano. Dentro se ve o se adi-
vina la efigie de Santa Olalla, y en la portada de la ermita
se lee en letras gruesas la inscripción siguiente:

MARTI SACRUM
VETILLA PACULLI

La idea que este contraste presenta imagínela el lector; estas letras parecen haber sido de bronce, pero habiendo saltado el metal, sólo ha quedado el hueco de ellas,
y éste hace el mismo efecto que el cóncavo vacío de los
ojos en una calavera.

En la ciudad hay otros restos de igual importancia;
entre ellos es de citar la casa del conde de los Corvos,
construída de moderno ladrillo y cal, entre los huecos
que han dejado las magníficas y desmesuradamente altas
columnas de un templo de Diana, de pie todavía y empotradas en ella; el conjunto presenta la diforme idea
de un vivo atado a un cadáver: aquella suma de dos épocas tan encontradas forma un verdadero matrimonio, en
que los consortes parecen estar riñendo continuamente.

El *conventual* es otra ruina, pero más moderna; colocado a la cabeza del puente, ofrece el aspecto de un
edificio grandioso, y sus murallas siguen largo trecho la
dirección del río; parece haber sido un fortaleza gótica;
posteriormente perteneció a los templarios, y se arruinó
en poder de los caballeros de Santiago.

Sobre una alta columna romana, que se levanta en
medio de una plaza, domina una efigie de Santa Olalla
mirando al Oriente. Al llegar aquí y concluir nuestro paseo, se acercó a mí mi *cicerone*, y me dijo con notable
fervor: —Repare usted, señor: ésta es otra vez Santa
Olalla; yo no me acuerdo qué año hubo en Mérida una
peste muy mortífera; la santa miraba entonces a Ponien-
te; hiciéronle grandes rogativas, y una mañana amaneció vuelta al Oriente y cesó la peste; desde entonces
mira a esa parte, y ya no se teme la peste en Mérida.

Efectivamente, parece que desde entonces no ha vuelto
ningún azote de esa especie a afligir a la antigua colonia
romana, si se exceptúa el cólera; y ése, todo el mundo
sabe que no es peste, con lo cual queda en pie la tradición, y la santa siempre vuelta.

No concluiré este artículo, por largo que sea ya, sin
hacer mención del último descubrimiento que ha llama-

do la atención de los meridenses, si se puede hablar así de unos hombres que viven entre sus ruinas tan ignorantes de ellas como los buhos y vencejos que en su compañía las habitan.

Cavando un labrador su corral, encontró recientemente debajo de su miserable casa el pavimento de una habitación, indudablemente romana, hecho de un precioso mosaico, en el cual asombra tanto la obra de la apariencia como el lujo que revela. Piedrecitas iguales de media pulgada de diámetro, y de colores hábilmente combinados, forman figuras simbólicas, cuya inteligencia no es fácil; algunas tienen un carácter egipcio, lo cual puede hacer sospechar si habrá pertenecido la casa a algún sacerdote o arúspice; a la cabeza de la pieza se descubre, pero no se descifra, una inscripción en letras latinas, y a los dos lados parece prolongarse el precioso mosaico a otras habitaciones no descubiertas todavía.

La autoridad de Mérida parece haber dado parte convenientemente al Gobierno; pero no habiéndose dispuesto nada todavía, el dueño de la casa reclama que se le deje usar de su terreno como mejor le convenga, o que se le compre; en el ínterin, no habiendo fondos destinados a continuar esta importante excavación, y habiendo quedado a la intemperie el pavimento descubierto hasta la presente, el polvo, el agua llovediza y el desmoronamiento de la tierra circunstante echa a perder diariamente el peregrino hallazgo, lleno ya de quebraduras y lagunas; sin embargo, bastaría una cantidad muy pequeña para construir un cobertizo y comprar la choza, ya que no fuese para continuar la excavación.

Mérida, la antigua *Emerita-Augusta*, posesora de tantos tesoros numismáticos, olvidada de ellos, y olvidada ella misma, es en el día una población de cortísima importancia; puéblanla apenas mil vecinos, y de su grandeza pasada sólo le quedan suntuosas ruinas y orgullosos recuerdos. Después de haber saludado a las unas con supersticioso respeto, y de haber enlazado los otros con vanidad al nombre español que llevo, proseguí mi viaje, lleno de aquella impresión sublime y melancólica que deja en el ánimo por largo espacio la contemplación filosófica de las grandezas humanas, y de la nada de que salieron, para volver a entrar en ella más tarde o más temprano.

1835.

# LOS CALAVERAS

## ARTÍCULO PRIMERO

Es cosa que daría que hacer a los etimologistas y a
los anatómicos de lenguas el averiguar el origen de la
voz *calavera* en su acepción figurada, puesto que la propia no puede tener otro sentido que la designación del
cráneo de un muerto, ya vacío y descarnado. Yo no recuerdo haber visto empleada esta voz, como sustantivo
masculino, en ninguno de nuestros autores antiguos, y
esto prueba que esta acepción picaresca es de uso moderno. La especie, sin embargo, de seres a que se aplica
ha sido de todos los tiempos. El famoso Alcibíades era el
*calavera* más perfecto de Atenas; el célebre filósofo que
arrojó sus tesoros al mar no hizo en eso más que una
*calaverada*, a mi entender de muy mal gusto. César, marido de todas las mujeres de Roma, hubiera pasado en
el día por un excelente *calavera*; Marco Antonio, echan-
do a Cleopatra por contrapeso en la balanza del destino
del imperio, no podía ser más que un *calavera*; en una
palabra, la suerte de más de un pueblo se ha decidido
a veces por una simple *calaverada*. Si la Historia, en vez
de escribirse como un índice de los crímenes de los reyes
y una crónica de unas cuantas familias, se escribiera con
esta especie de filosofía, como un cuadro de costumbres
privadas, se vería probada aquella verdad, y muchos de
los importantes trastornos que han cambiado la faz del
mundo, a los cuales han solido achacar grandes causas
los políticos, encontrarían una clave de muy verosímil
y sencilla explicación en las *calaveradas*.

Dejando aparte la antigüedad (por más mérito que les
añada, puesto que hay muchas gentes que no tienen otro),
y volviendo a la etimología de la voz, confieso que no encuentro qué relación puede existir entre un *calavera* y
una *calaverada*. ¡Cuánto exceso de vida no supone el primero! ¡Cuánta ausencia de ella no supone la segunda!
Si se quiere decir que hay un punto de similitud entre
el vacío de uno y el de la otra, no tardaremos en demostrar
que es un error. Aun concediendo que las cabezas se di-
vidan en vacías y en llenas, y que la ausencia del talento y del juicio se refiera a la primera clase, espero que
por mi artículo se convencerá cualquiera de que para pocas cosas se necesita más talento y buen juicio que para
ser *calavera*.

Por tanto, el haber querido dar un aire de apodo y de vilipendio a los *calaveras* es una injusticia de la lengua, y de los hombres que acertaron a darle los primeros ese giro malicioso; yo por mí rehuso esa voz; confieso que quisiera darle una nobleza, un sentido favorable, un carácter de dignidad que desgraciadamente no tiene, y así sólo la usaré porque no teniendo otra a mano, y encontrando ésa establecida, aquellos mismos cuya causa defiendo se harán cargo de lo difícil que me sería darme a entender valiéndome para designarlos de una palabra nueva; ellos mismos no se reconocerían, y no reconociéndolos seguramente el público tampoco, vendría a ser inútil la descripción que de ellos voy a hacer.

Todos tenemos algo de *calaveras*, más o menos. ¡Quién no hace locuras y disparates alguna vez en su vida? ¿Quién no ha hecho versos, quién no ha creído en alguna mujer, quién no se ha dado malos ratos algún día por ella, quién no ha prestado dinero, quién no lo ha debido, quién no ha abandonado alguna cosa que le importase por otra que le gustase, quién no se casa, en fin?... Todos lo somos; pero así como no se llama locos sino a aquellos cuya locura no está en armonía con la de los más, así sólo se llama *calaveras* a aquellos cuya serie de acciones continuadas son diferentes de las que los otros tuvieran en iguales casos.

El *calavera* se divide y subdivide hasta lo infinito, y es difícil encontrar en la naturaleza una especie que presente al observador mayor número de castas distintas: tienen todas empero un tipo común de donde parten, y en rigor sólo dos son las calidades esenciales que determinan su ser, y que las reúnen en una sola especie: en ellas se reconoce al *calavera*, de cualquier casta que sea.

1.º El *calavera* debe tener por base de su ser lo que se llama *talento natural* por unos; *despejo* por otros; *viveza* por los más; entiéndase esto bien: *talento natural*, es decir, no cultivado. Esto se explica: toda clase de estudio profundo, o de extensa instrucción, sería lastre demasiado pesado que se opondría a esa ligereza, que es una de sus más amables cualidades.

2.º El *calavera* debe tener lo que se llama en el mundo *poca aprensión*. No se interprete esto tampoco en mal sentido. Todo lo contrario. Esta *poca aprensión* es aquella indiferencia filosófica con que considera *el qué dirán* el que no hace más que cosas naturales, el que no hace cosas vergonzosas. Se reduce a arrostrar en todas nuestras acciones la publicidad, a vivir ante los otros, más para ellos que para uno mismo. El *calavera* es un hombre público cuyos actos todos pasan por el tamiz de la opinión,

saliendo de él más depurados. Es un espectáculo cuyo
telón está siempre descorrido; quítensele los espectadores, y adiós teatro. Sabido es que con mucha aprensión
no hay teatro.

El *talento natural*, pues, y la *poca aprensión*, son las
dos cualidades distintas de la especie: sin ellas no se da
*calavera*. Un tonto, un timorato del *qué dirán*, no lo serán
jamás. Sería tiempo perdido.

El *calavera* se divide en *silvestre y doméstico*.

El *calavera silvestre* es un hombre de la plebe, sin educación ninguna y sin modales; es el capataz del barrio,
tiene honores de jaque, habla andaluz; su conversación
va salpicada de chistes; enciende un cigarro en otro, es-
cupe por el colmillo; convida siempre, y nadie paga donde está él; es chulo nato; dos cosas son indispensables
a su existencia: la querida, que es manola, condición *sine
qua non*, y la navaja, que es grande; por un quítame allá
esas pajas le da honrosa sepultura en un cuerpo humano.
Sus manos siempre están ocupadas: o empaqueta el cigarro, o saca la navaja, o tercia la capa, o se cala el
chapeo, o se aprieta la faja, o vibra el garrote; siempre está haciendo algo. Se le conoce a larga distancia,
y es bueno dejarle pasar como el jabalí. ¡Ay del que
mire a su Dulcinea! ¡Ay del que la tropiece! Si es hombre de levita, sobre todo, si es un señorito delicado, más
le valiera no haber nacido. Con esa especie está a matar, y la mayor parte de sus calaveradas recaen sobre
ella; se perece por asustar a uno, por desplumar a otro.
El *calavera* silvestre es el gato del *lechuguino;* así es que
éste le ve con terror; de quimera en quimera, de *qué se
me da a mí, en qué se me da a mí*, para en la cárcel; a
veces en presidio; pero esto último es raro; se diferencia
esencialmente del ladrón en su condición generosa: da y
no recibe; puede ser homicida, nunca asesino. Este *calavera* es esencialmente español.

El *calavera doméstico* admite diferentes grados de civilización, y su cuna, su edad, su educación, su profesión,
su dinero, le subdividen después en diversas castas. Las
principales son las siguientes:

El *calavera lampiño* tiene catorce o quince años, lo más
dieciocho. Sus padres no pudieron nunca hacer carrera
con él: le metieron en el colegio para quitárselo de encima, y hubieron de sacarle porque no dejaba allí cosa
con cosa. Mientras que sus compañeros más laboriosos
devoraban los libros para entenderlos, él los despedaza-
ba para hacer bolitas de papel, las cuales arrojaba disi-
muladamente y con singular tino a las narices del maestro. A pesar de eso, el día del examen el talento profundo

y tímido se cortaba, y nuestro audaz muchacho repetía con osadía las cuatro voces tercas que había recogido aquí y allí, y se llevaba el premio. Su carácter resuelto ejercía predominio sobre la multitud, y capitaneaba por lo regular las pandillas y los partidos. Despreciador de los bienes mundanos, su sombrero, que le servía de blanco o de pelota, se distinguía de los demás sombreros como él de los demás jóvenes.

En carnaval era el que ponía las mazas a todo el mundo, y aun las manos encima si tenían la torpeza de enfadarse; si era descubierto, hacía pasar a otro por el culpable, o sufría en el último caso la pena con valor, y riéndose todavía del feliz éxito de su travesura. Es decir, que el *calavera,* como todo el que ha de ser algo en el mundo, comienza a descubrir desde su más tierna edad el germen que encierra. El número de sus hazañas era infinito. Un maestro había perdido unos anteojos, que se habían encontrado en su faltriquera; el rapé de otro había pasado al chocolate de sus compañeros, o a las narices de los gatos, que recorrían bufando los corredores con gran risa de los más juiciosos; la peluca del maestro de matemáticas había quedado un día enganchada en su sillón, al levantarse el pobre Euclides, en notable perturbación de un problema que estaba por resolver. Aquel día no se despejó más incógnita que la calva del buen señor.

Fuera ya del colegio, se trató de sujetarle en casa y se le puso bajo llave, pero a la mañana siguiente se encontraron colgadas las sábanas de la ventana; el pájaro había volado, y como sus padres se convencieron de que no había forma de contenerle, convinieron en que era preciso dejarle. De aquí fecha la libertad del *lampiño.* Es el más pesado, el más incómodo: careciendo todavía de barba y de reputación, necesita hacer dobles esfuerzos para llamar la pública atención; privado él de medios, le es forzoso afectarlos. Es risa oírle hablar de las mujeres como un hombre ya maduro; sacar el reloj como si tuviera que hacer; contar todas sus acciones del día como si pudieran importarle a alguien, pero con despejo, con soltura, con aire cansado y corrido.

Por la mañana madrugó porque tenía una cita; a las diez se vino a encargar el billete para la ópera, porque hoy daría cien onzas por un billete; no puede faltar. ¡Estas mujeres le hacen a uno hacer tantos disparates! A media mañana se fué al billar; aunque hijo de familia, no come nunca en casa; entra en el café metiendo mucho ruido; su duro es el que más suena; sus bienes se reducen a algunas monedas que debe de vez en cuando

a la generosidad de su mamá, o de su hermana, pero las
luce sobremanera. El billar es su elemento; los interva-
los que le deja libre el juego suéleselos ocupar cierta
clase de mujeres, únicas que pueden hacerle cara todavía, y en cuyo trato toma sus peregrinos conocimientos
acerca del corazón femenino. A veces el *calavera-lampiño* se finge malo para darse importancia; y si puede
estarlo de veras mejor; entonces está de enhorabuena.
Empieza asimismo a fumar, es más cigarro que hombre,
jura y perjura y habla detestablemente; su boca es una
sentina, si bien tal vez con chiste. Va por la calle de-
seando que alguien le tropiece; y cuando no lo hace nadie, tropieza él a alguno; su honor entonces está comprometido, y hay de fijo un desafío; si éste acaba mal,
y si mete ruido, en aquel mismo punto empieza a tomar
importancia; y entrando en otra casta, como la oruga
que se torna mariposa, deja de ser *calavera-lampiño*. Sus
padres, que ven por fin decididamente que no hay forma
de hacerle abogado, le hacen meritorio; pero como no
asiste a la oficina, como bosqueja en ella las caricaturas
de los jefes, porque tiene el instinto del dibujo, se muda
de bisiesto y se trata de hacerlo militar; en cuanto está
declarado irremisiblemente mala cabeza, se le busca una
charretera, y si se encuentra, ya es un hombre hecho.

Aquí empieza el *calavera-temerón*, que es el gran *calavera*. Pero nuestro artículo ha crecido debajo de la pluma
más de lo que hubiéramos querido, y de aquello que para
un periódico convendría, ¡tan fecunda es la materia! Por
tanto, nuestros lectores nos concederán algún ligero descanso, y remitirán al número siguiente su curiosidad si
alguna tienen.

1835.

# LOS CALAVERAS

### ARTÍCULO SEGUNDO Y CONCLUSIÓN

Quedábamos al fin de nuestro artículo anterior en el
*calavera-temerón*. Éste se divide en paisano y militar; si
el influjo no fué bastante para lograr su charretera (porque alguna vez ocurre que las charreteras se dan por
influjo), entonces es paisano; pero no existe entre uno
y otro más que la diferencia del uniforme. Verdad es
que es muy esencial, y más importante de lo que parece:
el uniforme ya es la mitad. Es decir, que el paisano necesita hacer dobles esfuerzos para darse a conocer; es

una casa pública sin muestra; es preciso saber que existe
para entrar en ella. Pero, por un contraste singular, el
*calavera-temerón*, una vez militar, afecta no llevar el uniforme, viste de paisano, salvo el bigote; sin embargo, si
se examina el modo suelto que tiene de llevar el frac
o la levita, se puede decir que hasta este traje es uniforme en él. Falta la plata y el oro, pero queda el despejo y
la marcialidad, y eso se trasluce siempre; no hay paño
bastante negro ni tupido que le ahogue.

El *calavera-temerón* tiene indispensablemente, o ha tenido alguna temporada, una cerbatana, en la cual adquiere singular tino. Colocado en alguna tienda de la calle
de la Montera, se parapeta detrás de dos o tres amigos,
que fingen discurrir seriamente.

—Aquel viaje que viene allí: ¡mírale qué serio viene!

—Sí; al de la casaca verde, ¡va bueno! Dejad, dejad.
¡Pum!, en el sombrero. Seguid hablando y no miréis.

Efectivamente, el sombrero del buen hombre produjo
un sonido seco; el acometido se para, se quita el sombrero,
lo examina.

—¡Ahora! —dice la turba—. ¡Pum!, otra en la calva—.
El viejo da un salto y echa una mano a la calva; mira
a todas partes... Nada.

—¡Está bueno! —dice por fin, poniéndose el sombrero—, algún pillastre... Bien podía ir a divertir...

—¡Pobre señor! —dice entonces el *calavera*, acercándo-
sele—: ¿le han dado a usted? Es una desvergüenza...
Pero ¿le han hecho a usted mal?...

—No, señor, felizmente.

—¿Quiere usted algo?

—Tantas gracias.

Después de haber dado gracias, el hombre se va ale-
jando, volviendo poco a poco la cabeza a ver si descu-
bría..., pero entonces el *calavera* le asesta su último tiro,
que acierta a darle en medio de las narices, y el hombre,
derrotado, aprieta el paso, sin tratar ya de averiguar de
dónde procede el fuego; ya no piensa más que en alejarse. Suéltase entonces la carcajada en el corrillo, y
empiezan los comentarios sobre el viejo, sobre el sombrero, sobre la calva, sobre el frac verde. Nada causa
más risa que la extrañeza y el enfado del pobre; sin embargo, nada más natural.

El *calavera-temerón* escoge a veces para su centro de
operaciones la parte interior de una persiana; este medio permite más abandono en la risa de los amigos, y es
el más oculto; el *calavera* fino le desdeña por poco expuesto.

A veces se dispara la cerbatana en guerrilla; entonces
se escoge por blanco el farolillo de un escarolero, el fa-
nal de un confitero, las botellas de una tienda; objetos
todos en que produce el barro cocido un sonido sonoro
y argentino. ¡Pim!, las ansias mortales, las agonías, y
los votos del gallego y del fabricante de merengues, son
el alimento del *calavera*.

Otras veces el *calavera* se coloca en el confín de la
acera, y fingiendo buscar el número de una casa, ve venir a uno, y andando con la cabeza alta, arriba, abajo,
a un lado, a otro, sortea todos los movimientos del transeúnte, cerrándole por todas partes el paso a su camino.
Cuando quiere poner un término a la escena, finge tropezar con él, y le da un pisotón; el otro entonces le dice:
*perdone usted;* y el *calavera* se incorpora con su gente.

A los pocos pasos, se va con los brazos abiertos a un
hombre muy formal, y ahogándole entre ellos: —Pepe,
exclama, *¿cuándo has vuelto. ¡Sí, tú eres!* Y lo mira;
el hombre, todo aturdido, duda si es un conocido antiguo... y tartamudea... Fingiendo entonces la mayor sorpresa: —¡Ah!, usted perdone, dice retirándose el *calavera;* creí que era usted un amigo mío... —No hay de
qué. —Usted perdone. ¡Qué diantre! No he visto cosa
más parecida.

Si se retira a la una o las dos de su tertulia, y pasa
por una botica, llama; el mancebo, medio dormido, se
asoma a la ventanilla. —¿Quién es? —Dígame usted, pregunta el *calavera*, ¿tendría usted espolines?

Cualquiera puede figurarse la respuesta; feliz el mancebo, si en vez de hacerle esa sencilla pregunta, no le
ocurre al *calavera* asirle de las narices al través de la
rejilla, diciéndole: —Retírese usted; la noche está muy
fresca, y puede usted atrapar un constipado.

Otra noche llama a deshoras a una puerta. —¿Quién?,
pregunta de allí a un rato un hombre que sale al balcón
medio desnudo. —Nada, contesta: soy yo, a quien usted
no conoce, que no quería irme a mi casa sin darle a usted las buenas noches —¡Bribón!, ¡insolente! Si bajo...
—A ver cómo baja usted; baje usted; usted perdería más:
figúrese usted dónde estaré yo cuando usted llegue a la
calle. Conque, buenas noches, sosiéguese usted, y que usted descanse.

Claro está que el *calavera* necesita espectadores para
todas estas escenas: los placeres sólo lo son en cuanto
pueden comunicarse; por tanto, el *calavera* cría a su alrededor constantemente una pequeña corte de aprendi-
ces, o de meros curiosos, que no teniendo valor o gracia
bastante para serlo ellos mismos, se contentan con el

papel de cómplices y partícipes; éstos le miran con envidia, y son las trompetas de su fama.

El *calavera-langosta* se forma del anterior, y tiene el aire más decidido, el sombrero más ladeado, la corbata más *negligé;* sus hazañas son más serias; éste es aquel que se reúne en pandillas: semejante a la *langosta,* de que toma nombre, tala el campo donde cae; pero como ella no es de todos los años, tiene temporadas, y como en el día no es de lo más en boga, pasaremos muy rápidamente sobre él. Concurre a los bailes llamados de *candil,* donde entra sin que nadie le presente, y donde su sola presencia difunde el terror; arma camorra, apaga las luces, y se escurre antes de la llegada de la Policía, y después de haber dado unos cuantos palos a derecha e izquierda; en las máscaras suele mover también su cipizape; en viendo una figura antipática, dice: *aquel hombre me carga;* se va para él, y le aplica un bofetón; de diez hombres que reciban bofetón, los nueve se quedan tranquilamente con él; pero si alguno quiere devolverle, hay desafío; la suerte decide entonces, porque el *calavera es valiente;* éste es el difícil de mirar; tiene un duelo hoy con uno que le miró de frente, mañana con uno que le miró de soslayo, y al día siguiente lo tendrá con otro que no le mire; éste es el que suele ir a las casas públicas con ánimo de no pagar; éste es el que talla y apunta con furor; es jugador, griego nato, y gran billarista, además. En una palabra, éste es el venenoso, el *calavera-plaga:* los demás divierten; éste mata.

Dos líneas más allá de éste está otra casta, que nosotros rehusaremos desde luego: el *calavera-tramposo,* o trapalón, el que hace deudas, el parásito, el que comete a veces picardías, el que pide para no devolver, el que vive a costa de todo el mundo, etc., etc.; pero éstos no son verdaderamente calaveras; son indignos de este nombre; ésos son los que desacreditan el oficio, y por ellos pierden los demás. No los reconocemos.

Sólo tres clases hemos conocido más detestables que ésta: la primera es común en el día, y como al describirla habríamos de rozarnos con materias muy delicadas, y para nosotros respetables, no haremos más que indicarla. Queremos hablar del *calavera-cura.* Vuelvo a pedir perdón; pero, ¿quién no conoce en el día algún sacerdote de esos que queriendo pasar por hombres despreocupados, y limpiarse de la fama de carlistas, dan en el extremo opuesto; de esos que para exagerar su liberalismo y su ilustración empiezan por llorar su ministerio; a quienes se ve siempre alrededor del tapete y de las bellas en bailes y en teatros, y en todo paraje profano, vestidos

siempre y hablando mundanamente; que hacen alarde
de...? Pero nuestros lectores nos comprenden. Este *calavera* es detestable, porque el cura liberal y despreocupado
debe ser el más timorato de Dios, y el mejor morigerado.
No creer en Dios y decirse su ministro, o creer en él y
faltarle descaradamente, son la hipocresía o el crimen
más hediondos. Vale más ser cura carlista de buena fe.

La segunda de estas aborrecibles castas es el *viejo-
calavera*, planta como la caña, hueca y árida con hojas
verdes. No necesitamos describirla, ni dar las razones
de nuestro fallo. Recuerde el lector esos viejos que conocerá, un decrépito que persigue a las bellas, y se roza
entre ellas como se arrastra un caracol entre las flores,
llenándolas de baba; un viejo sin orden, sin casa, sin
método... El joven al fin tiene delante de sí tiempo para
la enmienda y disculpa en la sangre ardiente que corre
por sus venas; el *viejo-calavera* es la torre antigua y
cuarteada que amenaza sepultar en su ruina la planta
inocente que nace a sus pies; sin embargo, éste es el
único a quien cuadraría el nombre de *calavera*.

La tercera, en fin, es la *mujer-calavera*. La mujer con
*poca aprensión*, y que prescinde del primer mérito de su
sexo, de ese miedo a todo, que tanto le hermosea, cosa
de ser mujer para ser hombre; es la confusión de los
sexos, el único hermafrodita de la naturaleza: ¿qué deja
para nosotros? La mujer, reprimiendo sus pasiones, puede ser desgraciada, pero no le es lícito ser *calavera*.
Cuanto es interesante la primera, tanto es despreciable
la segunda.

Después del *calavera-temerón*, hablaremos del *seudo-
calavera*. Éste es aquel que sin gracia, sin ingenio, sin
viveza y sin valor verdadero, se esfuerza para pasar por
*calavera*; es género bastardo, y pudiérasele llamar, por lo
pesado y lo enfadoso, el *calavera-mosca*. *Rien n'est beau
que le vrai*, ha dicho Boileau, y en esa sentencia se encierra toda la crítica de esta apócrifa casta.

Dejando por fin a un lado otras varias, cuyas dife-
rencias estriban principalmente en matices y en medias
tintas, pero que en realidad se refieren a las castas ma-
dres de que hemos hablado, concluiremos nuestro cuadro
en un ligero bosquejo de la más delicada y exquisita, es
decir, del *calavera de buen tono*.

El *calavera de buen tono* es el tipo de la civilización,
el emblema del siglo XIX. Perteneciendo a la primera clase
de la sociedad, o debiendo a su mérito y a su carácter la
introducción en ella, ha recibido una educación esmerada:
dibuja con primor y toca un instrumento; filarmónico
nato, dirige el aplauso en la ópera, y le dirige siempre

a la más graciosa, o a la más sentimental: más de una
mala cantatriz le es deudora de su boga; se ríe de los
actores españoles y acaudilla las silbas contra el verso;
sus carcajadas se oyen en el teatro a larga distancia; por
el sonido se le encuentra; reside en la luneta al principio
del espectáculo, donde entra tarde en el paso más crítico,
y del cual se va temprano; reconoce los palcos, donde
habla muy alto, y rara noche se olvida de aparecer un
momento por la *tertulia* a asestar su doble anteojo a la
banda opuesta. Maneja bien las armas y se bate a menudo, semejante en eso al *temerón*, pero siempre con fortuna y a primera sangre: sus duelos rematan en almuerzo, y son siempre por poca cosa. Monta a caballo y atro-
pella con gracia a la gente de a pie; habla el francés,
el inglés y el italiano; saluda en una lengua, contesta en
otra, cita en las tres; sabe casi de memoria a Paul de
Koch, ha leído a Walter Scott, a D'Arlincourt, a Cooper,
no ignora a Voltaire, cita a Pigault-le-Brun, mienta a
Ariosto, y habla con desenfado de los poetas y del teatro.
Baila bien, y baila siempre. Cuenta anécdotas picantes,
le suceden cosas raras, habla de prisa, y tiene *salidas.*
Todo el mundo sabe lo que es tener *salidas.* Las suyas
se cuentan por todas partes; siempre son originales: en
los casos en que él se ha visto, sólo él hubiera hecho, hubiera respondido aquello. Cuando ha dicho una gracia,
tiene el singular tino de marcharse inmediatamente: esto
prueba gran conocimiento; la última impresión es la mejor de esta suerte, y todos pueden quedar riendo y diciendo además de él: *¡Qué cabeza! ¡Es mucho fulano!*

No tiene formalidad, ni vuelve visitas, ni cumple palabras; pero de él es de quien se dice: *¡Cosas de fulano!*
y el hombre que llega a tener *cosas* es libre, es independiente. Niéguesenos, pues, ahora, que se necesita talento
y buen juicio para ser *calavera.* Cuando otro falta a una
mujer, cuando otro es insolente, él es sólo atrevido, amable; las bellas que se enfadarían con otro, se contentan
con decirle a él: *¡No sea usted loco! ¡Qué calavera!
¿Cuándo ha de sentar, usted la cabeza?*

Cuando se concede que un hombre está loco, ¿cómo
es posible enfadarse con él? Sería preciso ser más loca
todavía.

Dichoso aquel a quien llaman las mujeres *calavera,*
porque el bello sexo gusta sobremanera de toda especie
de fama; es preciso conocerle, fijarle, probar a sentarle,
es una obra de caridad. El *calavera de buen tono* es,
pues, el adorno primero del siglo, el que anima un círculo,
el Cupido de las damas, *l'enfant gâté* de la sociedad y de
las hermosas.

Es el único que ve el mundo y sus cosas en su verdadero punto de vista: desprecia el dinero, le juega, le
pierde, le debe; pero siempre noblemente y en gran cantidad; trata, frecuenta, quiere a alguna bailarina o a
alguna operista; pero amores volanderos, mariposa ligera, vuela de flor en flor. Tiene algún amor sentimental,
y no está nunca sin intrigas, pero intrigas de peligro y
consecuencia: es el terror de los padres y de los maridos.
Sabe que, semejante a la moneda, sólo toma su valor de
su curso y circulación, y por consiguiente no se adhiere
a una mujer sino el tiempo necesario para que se sepa.
Una vez satisfecha la vanidad, ¿qué podría hacer de
ella? El estancarse sería perecer; se creería falta de recursos o de mérito su constancia. Cuando su boga decae,
la reanima con algún escándalo ligero; un escándalo es
para la fama y la fortuna del *calavera* un leño seco en
la lumbre: una hermosa ligeramente comprometida, un
marido batido en duelo, son sus despachos y su pasaporte; todas le obsequian, le pretenden, se lo disputan.
Una mujer arruinada por él es un mérito contraído para
con las demás. El hombre no *calavera*, el hombre de *talento y juicio*, se enamora, y por consiguiente es víctima
de las mujeres; por el contrario, las mujeres son las víctimas del *calavera*. Dígasenos ahora si el hombre de *talento y juicio* no es un necio a su lado.

El fin de éste es la edad misma; una posición social
nueva, un empleo distinguido, una boda ventajosa, ponen
término honroso a sus inocentes travesuras. Semejante
entonces al sol en su ocaso, se retira majestuosamente,
dejando, si se casa, su puesto a otros, que vengan en él
a la sociedad ofendida, y cobran en el nuevo marido, a
veces, con crecidos intereses, las letras que él contra sus
antecesores girara.

Sólo una observación general haremos antes de concluir nuestro artículo acerca de lo que se llama en el
mundo vulgarmente *calaveradas*. Nos parece que éstas se
juzgan siempre por los resultados: por consiguiente, a
veces una línea imperceptible divide únicamente al *calavera* del *genio*, y la suerte caprichosa los separa o los
confunde en una para siempre. Supóngase que Cristóbal
Colón perece víctima del furor de su gente antes de encontrar el Nuevo Mundo, y que Napoleón es fusilado de
vuelta de Egipto, como acaso merecía; la intentona de
aquél y la insubordinación de éste hubieran pasado por
dos calaveradas, y ellos no hubieran sido más que dos
*calaveras*. Por el contrario, en el día están sentados en
el gran libro como dos *grandes hombres, dos genios*.

Tal es el modo de juzgar de los hombres; sin embargo,
eso se aprecia, eso sirve muchas veces de regla. ¿Y por
qué?... Porque tal es la *opinión pública.*

1835.

# MODOS DE VIVIR QUE NO DAN DE VIVIR

## OFICIOS MENUDOS

Considerando detenidamente la construcción moral de
un gran pueblo, se puede observar que lo que se llama
*profesiones conocidas o carreras,* no es lo que sostiene
la gran muchedumbre: descártense los abogados y los
médicos, cuyo oficio es vivir de los disparates y excesos
de los demás; los curas, que fundan su vida temporal
sobre la espiritual de los fieles; los militares, que venden la suya con la expresa condición de matar a los otros;
los comerciantes, que reducen hasta los sentimientos y
pasiones a valores de bolsa; los nacidos propietarios, que
viven de heredar; los artistas, únicos que dan trabajo
por dinero, etc., etc., y todavía quedará una multitud
inmensa que no existirá de ninguna de esas cosas, y que
sin embargo existirá; su número en los pueblos grandes es crecido, y esta clase de gentes no pudieran sentar
sus reales en ninguna otra parte: necesitan el ruido y el
movimiento, y viven, como el pobre del Evangelio, de las
migajas que caen de la mesa del rico. Para ellos hay una
rara superabundancia de pequeños oficios, los cuales, no
pudiendo sufragar por sus cortas ganancias a la manu-
tención de una familia, son más bien *pretextos de existencia* que verdaderos oficios: en una palabra, *modos de
vivir que no dan de vivir;* los que los profesan son, no
obstante, como las últimas ruedas de una máquina, que
sin tener a primera vista grande importancia, rotas o se-
paradas del conjunto paralizan el movimiento.

Estos seres marchan siempre a la cola de las pequeñas
necesidades de una gran población, y suelen desempeñar
diferentes cargos, según el año, la estación, la hora del
día. Esos mismos que en noviembre venden ruedos o za-
patillas de orillo, en julio venden horchata; en verano
son bañeros del Manzanares; en invierno cafeteros am-
bulantes; los que venden agua en agosto, vendían en carnaval cartas y garbanzos de pega, y en navidades motes
nuevos para damas y galanes.

Uno de estos *menudos oficios* ha recibido últimamente
un golpe mortal con la sabia y filantrópica institución

de San Bernardino; y es gran dolor, por cierto, pues que era la introducción a los demás, es decir, el oficio de examen, y el más fácil: quiero hablar de la candela; una numerosa turba de muchachos, que podría en todo tiempo tranquilizar a cualquiera sobre el fin del mundo (cuyos padres es de suponer existiesen, en atención a lo difícil que es obtener hijos sin previos padres, pero no porque hubiese datos más positivos), se esparcían por las calles y paseos. Todas las primeras materias, todo el capital necesario para empezar su oficio, se reducían a una mecha de trapos, de que llevaban siempre sobre sí mismos abundante provisión; a la luz de la filosofía, debían tener cierto valor; cuando el mundo es todo vanidad, *con permiso de usted* cada vez que se mueve; a preguntar solos daban humo por dinero. Desgraciadamente un nuevo Prometeo les ha robado el fuego para comunicárse le a sus hechuras, y este menudo oficio ha salido del gremio para entrar en el número de las profesiones conocidas, de las instituciones sentadas y reglamentadas.

Pero con respecto a los demás, dígasenos francamente si pueden subsistir con sus ganancias; aquel hombre negro y mal encarado, que con la balanza rota y la alforja vieja parece, según lo maltratado, la imagen de la justicia, y cuya profesión es dar *higos y pasas por hierro viejo*; el otro que siempre detrás de su acémila, y tan inseparable de ella como alma y cuerpo, no vende nada, antes compra... *palomina*: capitalista verdadero, coloca sus fondos y tiene que revender después, y ganar en su preciosa mercancía; ha de mantenerse él y su caballería, que al fin son dos, aunque parecen uno, y eso suponiendo que no tenga más familia; el que vende *alpiste* para *canarios*, la que pregona *pajuelas*, etc., etc.

Pero entre todos los modos de vivir ¿qué me dice el lector de la trapera que con un cesto en el brazo y un instrumento en la mano recorre a la madrugada, y aun más comúnmente de noche, las calles de la capital? Es preciso observarla atentamente. La trapera marcha sola y silenciosa: su paso es incierto como el vuelo de la mariposa; semejante también a la abeja, vuela de flor en flor (permítaseme llamar así a los portales de Madrid, siquiera por figura retórica, y en atención a que otros hacen peores figuras, que las debieran hacer mejores), vuela de flor en flor, como decía, sacando de cada parte sólo el jugo que necesita; repáresela de noche; indudablemente ve como las aves nocturnas, registra los más recónditos rincones, y donde pone el ojo pone el gancho, parecida en esto a muchas personas de más decente categoría que ella: su gancho es parte integrante de su

persona; es en realidad su sexto dedo, y le sirve como
la trompa al elefante; dotado de una sensibilidad y de
un tacto exquisitos, palpa, desenvuelve, encuentra; y entonces por un sentimiento simultáneo, por una relación
simpática que existe entre la voluntad de la trapera y
su gancho, el objeto útil, no bien es encontrado ya está
en el cesto. La trapera, por tanto, con otra educación
sería una excelente periodista y un buen traductor de
Scribe; su clase de talento es la misma: buscar, husmear,
hacer propio lo hallado; solamente mal aplicado: he ahí
la diferencia.

En una noche de luna el aspecto de la trapera es im-
ponente; alargar el gancho, hacerlo guadaña, y al verla
entrar y salir en los portales alternativamente, parece
que viene a llamar a todas las puertas, precursora de la
parca. Bajo este aspecto hace en las calles de Madrid
los oficios mismos que la calavera en la celda del religioso: invita a la meditación, a la contemplación de la
muerte, de que es viva imagen.

Bajo otros puntos de vista, se puede comparar a la
trapera con la muerte: en ella vienen a nivelarse todas
las jerarquías; en su cesto vienen a ser iguales como en
el sepulcro Cervantes y Avellaneda; allí, como en un
cementerio, vienen a colocarse al lado los unos de los
otros: los decretos de los reyes, las quejas del desdichado, los engaños de amor, los caprichos de la moda; allí
se reúnen por única vez las poesías, releídas, de Quintana, y las ilegibles de A.***; allí se codean Calderón
y C.***; allá van juntos Martín y B.*** La trapera,
como la muerte, *equo pulsat pede pauperum tabernas re-
gumque turres.* Ambas echan tierra sobre el hombre oscuro, y nada pueden contra el ilustre; ¡de cuántos bandos ha hecho justicia la primera!, ¡de cuántos bandos
la segunda!

El cesto de la trapera, en fin, es la realización, única
posible, de la fusión, que tales nos ha puesto. *El Boletín
de Comercio y la Estrella, la Revista y la Abeja,* las metáforas de Martínez de la Rosa y las interpelaciones del
conde de las Navas, todo se funde en uno dentro del
cesto de la trapera.

Así como el portador de la candela era siempre muchacho y nunca envejecía, así la trapera no es nunca
joven: nace vieja; éstos son los dos oficios extremos de
la vida, y como la Providencia, justa, destinó a la mor-
tificación de todo bicho otro bicho en la naturaleza, como
crió el sacre para daño de la paloma, la araña para tormento de la mosca, la mosca para el caballo, la mujer
para el hombre, y el escribano para todo el mundo, así

crió en sus altos juicios a la trapera para el perro. Estas
dos especies se aborrecen, se persiguen, se ladran, se en-
ganchan y se venden.

Ese ser, con todo, ha de vivir, y tiene grandes necesidades, si se considera la carrera ordinaria de su existencia anterior: la trapera por lo regular (antes por
supuesto de serlo) ha sido joven, y aun bonita; muchacha,
freía buñuelos, y su hermosura la perdió. Fea, hubiera
recorrido una carrera oscura, pero acaso holgada; hubiera recurrido al trabajo, y éste la hubiera sostenido.
Por desdicha era bien parecida, y un chulo de la calle
de Toledo se encargó en sus verdores de hacérsele creer;
perdido el tino con la lisonja, abandonó la casa pater-
na (taberna muy bien acomodada), y pasó a naranjera.
El chulo no era eterno, pero una naranjera siempre es
vista; un caballerete fué de parecer de que no eran naranjas lo que debía vender, y le compró una vez por
todas todo el cesto; de allí a algún tiempo, queriendo
desasirse de ella, la aconsejó que se ayudase, y refor-
mada ya de trajes y costumbres, la recomendó eficaz-
mente a una modista: nuestra heroína tuvo diez años
felices de modistilla; el pañuelo de labor en la mano,
el *fichu* en la cabeza, y el galán detrás, recorrió las calles
y un tercio de su vida; pero, cansada del trabajo, pasó
a ser prima de un procurador (de la curia), que como
pariente, la alhajó un cuarto; poco después el procurador se cansó del parentesco, y le procuró una plaza de
corista en el teatro; ésta fué la época de su apogeo y
de su gloria; de señorito en señorito, de marqués en marqués, no se hablaba sino de la hermosa corista. Pero la
voz pasa, y la hermosura con ella, y con la hermosura
los galanes ricos; entonces empezó a bajar de nuevo !a
escalera hasta el último piso, hasta el piso bajo; luego
mudó de barrios hasta el hospital; la vejez, por fin, vino
a sorprenderla entre las privaciones y las enfermedades;
el hambre le puso el gancho en la mano, y el cesto fué
la barquilla de su naufragio. Bien dice Quintana:

¡Ay! ¡Infeliz de la que nace hermosa!

Llena por consiguiente de recuerdos de grandeza, la
trapera necesita ahogarlos en algo, y por lo regular los
ahoga en aguardiente. Esto complica extraordinariamente sus gastos. Desgraciadamente, aunque el mundo da
tanto valor a los trapos, no es a los de la trapera. Sin
embargo, ¡qué de veces lleva tesoros su cesto! ¡Pero tesoros impagables!

Ved aquel amante, que cuenta diez veces al día y otras
tantas a la noche las piedras de la calle de su querida.

Amelia es cruel con él: ni un favor, ni una distinción, alguna mirada de cuando en cuando... algún... nada. Pero ni una contestación de su letra a sus repetidas cartas, ni un rizo de su cabello que besar, ni un blanco cendal de batista que humedecer con sus lágrimas. El desdichado daría la vida por un harapo de su señora.

¡Ah!, ¡mundo de dolor y de trastrueques! La trapera es más feliz. ¡Mírala entrar en el portal, mírala mover el polvo! El amante la maldice: durante su estancia no puede subir la escalera; por fin, sale, y el imbécil entra, despreciándola al pasar. ¡Insensato!, esa que desprecia lleva en su banasta, cogidos a su misma vista, el pelo que le sobró a Amelia del peinado aquella mañana, una apuntación antigua de la ropa dada a la lavandera, toda de su letra (la cosa más tierna del mundo) y una gola de linón hecha pedazos... ¡Una gola! Y acaso el borrador de algún billete escrito a otro amante.

Alcánzala, busca; el corazón te dirá cuáles son los afectos de tu amada. Nada. El amante sigue pidiendo a suspiros y gemidos las tiernas prendas, y la trapera sigue pobre su camino. Todo por no entenderse. ¡Cuántas veces pasa así nuestra felicidad a nuestro lado, sin que nosotros la veamos!

Me he detenido, distinguiendo en mi descripción a la trapera entre todos los demás menudos oficios, porque realmente tiene una importancia que nadie le negará. Enlazada con el lujo y las apariencias mundanas por la parte del trapo, e íntimamente unida con las letras y la imprenta por la del papel, era difícil no destinarle algunos párrafos más.

El oficio que rivaliza en importancia con el de la trapera es indudablemente el del *zapatero de viejo.*

El zapatero de viejo hace su nido en los rincones de los portales; allí tiene una especie de gruta, una socavación subterránea, las más veces sin luz ni pavimento. Al rayar del alba fabrica en un abrir y cerrar de ojos su taller en un ángulo (si no es lunes): dos tablas unidas componen su recinto; una mala banqueta, una vasija de barro para la lumbre, indispensablemente rota, y otra más pequeña para el agua en que ablanda la suela, son todo su *menage;* el cajón de las leznas a un lado, su delantal de cuero, un calzón de pana y medias azules, son sus signos distintivos. Antes de extender la tienda de campaña, bebe un trago de aguardiente, y cuelga con cuidado a la parte de afuera una tabla, y de ella pendiente una bota inutilizada: cualquiera al verla creería que quiere decir: *"Aquí se estropean botas."*

No puede establecerse en un portal sin previo permiso de los inquilinos; pero como regularmente es un infeliz, cuya existencia depende de las gentes que conoce ya en el barrio, ¿quién ha de tener el corazón tan duro para negarse a sus importunidades? La señora del cuarto principal, compadecida, lo consiente; la del segundo, en vista de esa primera protección, no quiere chocar con la señora condesa; los demás inquilinos no son siquiera consultados. Así es que empiezan por aborrecer al zapatero, y desahogan su amor propio resentido en quejas contra las aristocráticas vecinas. Pero al cabo el encono pasa, sobre todo considerando que desde que se ha establecido allí el zapatero, a lo menos está el portal limpio.

Una vez admitido, se agarra a la casa como una alga a las rocas; es tan inherente a ella como un balcón o una puerta; pero se parece a la yedra y a la mujer: abraza para destruir. Es la víbora abrigada en el pecho; es el ratón dentro del queso. Por ejemplo: canta y martillea, y parece no hacer otra cosa. ¡Error! Observa la hora a que sale el amo, qué gente viene en su ausencia, si la señora sale periódicamente, si va sola o acompañada, si la niña balconea, si abre casualmente alguna ventanilla o alguna puerta con tiento, cuándo sube tal o cual caballero; ve quién ronda la calle, y desde su puesto conoce al primer golpe de vista, por la inclinación del cuello y la distancia del *cuyo*, el piso en que está la intriga. Aunque viejo, dice chicoleos a toda criada que sale y entra, y se granjea por tanto su buena voluntad; la criada es al zapatero lo que el anteojo al corto de vista: por ella ve lo que no puede ver por sí, y reunido lo interior y exterior, suma y lo sabe todo. ¿Se quiere saber la causa de la tardanza de todo criado o criada que va a un recado? ¿Hay zapatero de viejo? No hay que preguntarla. ¿Tarda? Es que le está contando sus rarezas de usted, tirano de la casa, y lo que con usted sufre la señora, que es una malva la infeliz.

El zapatero sabe lo que se come en cada cuarto, y a qué hora. Ve salir al empleado en rentas por la mañana, disfrazado con la capa vieja, que va a la plaza en persona, no porque no tenga criada, sino porque el sueldo da para estar servido, pero no para estar sisado. En fin, no se mueve una mosca en la manzana sin que el buen hombre la vea: es una red la que tiende sobre todo el vecindario, de la cual nadie escapa. Para darle más extensión, es siempre casado, y la mujer se encargará de otro menudo oficio; como casada no puede servir, es decir, de criada, pero sirve de lo que se llama *asistenta;* es conocida por tal en el barrio: ¿se despidió una criada

demasiado bruscamente y sin dar lugar al reemplazo?
Se llama a la mujer del zapatero. ¿Hay un convite que
necesita aumento de brazos en otra parte? ¿Hay que dar
de prisa y corriendo ropa a lavar, a coser, a planchar,
mil recados, en fin, extraordinarios? La mujer del zapatero, el zapatero.

Por la noche el marido y la mujer se reúnen y hacen
fondo común de hablillas; ella da cuenta de lo que ha
recogido su policía, y él sobre cualquier friolera le pega
una paliza, y hasta el día siguiente. Esto necesita explicación: los artesanos en general no se embriagan más
que el domingo y el lunes, algún día entre semana, las
pascuas, los días de santificar, y por este estilo: el zapatero de viejo es el único que se embriaga todos los
días; ésta es la clave de la paliza diaria: el vino que en
otros se sube a la cabeza, en el zapatero de viejo se sube
a las espaldas de la mujer; es decir, que trasiega.

Este hermoso matrimonio tiene numerosos hijos que
enredan en el portal, o sirven de pequeños nudos a la
gran red pescadora.

Si tiene usted hija, mujer, hermana, o acreedores, no
viva usted en casa de zapatero de viejo. Usted al salir
le dirá: *Observe usted quién entra y quién sale de mi
casa.* A la vuelta ya sabrá quien debe sólo decir que ha
estado, *o habrá salido un momento fuera, y como no haya
sido en aquel momento...* Usted le da un par de reales
por la fidelidad. Par de reales que sumados con la pe-
seta que le ha dado el que no quiere que se diga que entró,
forma la cantidad de seis reales. El zapatero es hombre
de revolución, despreocupado, superior a las preocupaciones vulgares, y come tranquilamente a dos carrillos.

En otro cuarto es la niña la que produce: el galán no
puede entrar en la casa, y es preciso que alguien entregue
las cartas; el zapatero es hombre de bien, y por tanto, no
hay inconveniente; el zapatero puede además franquear
su cuarto, puede... ¡qué sé yo qué puede el zapatero!

Por otra parte, los acreedores, y los que persiguen a
su mujer de usted, saben por su conducto si usted ha
salido, si ha vuelto, si se niega, o si está realmente en
casa. ¡Qué multitud de atenciones no tiene sobre sí el
zapatero! ¡Qué tino no es necesario en sus diálogos y
respuestas! ¡Qué corazón tan firme para no aficionarse
sino a los que más pagan!

Sin embargo, siempre que usted llega al puesto del
zapatero, está ausente; pero de allí a poco sale de la
taberna de enfrente, adonde ha ido un momento a echar
un trago; semejante a la araña, tiende la tela en el portal
y se retira a observar la presa al agujero.

Hay otro zapatero de viejo, **ambulante**, que hace su oficio de comprar desechos..., pero éste regularmente es un ladrón encubierto que se informa de ese modo de las entradas y salidas de las casas, de..., en una palabra, no tiene comparación con nuestro zapatero.

Otra multitud de oficios menudos merecen aún una historia particular, que les haríamos si no temiésemos fastidiar a nuestros lectores. Ese enjambre de mozos y sirvientes que viven de las propinas, y en quienes consiste que ninguna cosa cueste realmente lo que cuesta, sino mucho más: la abaniquera de *abanicos de novia* en el verano, a cuarto la pieza; la mercadera de *torrados* de la Ronda, el de los *tirantes y navajas*; el cartelero que vive de estampar mi nombre y el de mis amigos en la esquina; los comparsas del teatro, condenados eternamente a representar, por dos reales, barbas, un pueblo numeroso entre seis o siete; el infinito *corbatines y almohadillas*, que está en todos los cafés a un mismo tiempo, siempre en aquel en que usted está, y vaya usted al que quiera; el barbero de la plazuela de la Cebada, que abre su asiento de tijera, y del aire libre hace tienda; esa multitud de *corredores de usura* que viven de llevar a empeñar y desempeñar; esos músicos del anochecer, que el calendario en una mano y los reales nombramientos en otra, se van dando días y enhorabuenas a gentes que no conocen; esa muchedumbre de maestros de lenguas a 30 reales y retratistas a 70 reales; todos los habitantes y revendedores del Rastro, las prenderas, los... ¿no son todos menudos oficios? *Esas casamenteras de voluntades*, como las llama Quevedo..., pero no todo es del dominio del escritor, y desgraciadamente en punto a costumbres y menudos oficios acaso son los más picantes los que es forzoso callar: los hay odiosos, los hay despreciables, los hay asquerosos, los hay que ni adivinar se quisieran; pero en España ningún *oficio* reconozco *más a menudo*, y sirva esto de conclusión, ningún *modo de vivir que dé menos de vivir* que el de escribir para el público, y hacer versos para la gloria; más menudo todavía el público que el oficio, es todo lo más si para leerlo a usted le componen cien personas, y con respecto a la gloria, bueno es no contar con ella, por si ella no contase con nosotros.

1835

# LA CAZA

Los tiempos en que la caza era a un mismo tiempo la ocupación y la diversión de nuestros reyes y nuestros nobles quedan ya bien lejos de nosotros; aquel sinnúmero de empleados destinados a ese ejercicio que llenaban el palacio han desaparecido, dejando sólo tras sí algún nombre que otro, alguna denominación, fuera en el día de su lugar. La invención de la pólvora fué sin duda uno de los primeros golpes, casi mortales, para la antigua manera de cazar. ¿A qué mantener y educar costosamente varios halcones, cuando una menuda bola de plomo puede hacer en menos tiempo y sin precisa enseñanza el mismo camino? Las revoluciones, que han dejado apenas a los reyes tiempo para serlo, han venido después a dar a ese ejercicio el último golpe de cachete; los sotos se han descuidado; las costumbres extranjeras se han introducido, y los teatros, los bailes, los cafés, el juego, los clubes y los periódicos han sustituído enteramente a aquella azarosa distracción. En otros países no han sido bastantes todas esas causas a destruirla; en Inglaterra, por ejemplo, magníficos parques, sostenidos y cuidados con el mismo esmero que todas las cosas inglesas, ofrecen aún abundante caza a los *gentlemen*, que dedican a sus locas batidas una estación del año. En Alemania no es menor la afición, y en algunos otros puntos de Europa, como en el Tirol, se encuentran en punto a caza tiradores de sorprendente habilidad.

Entre nosotros, Carlos IV ha sido el último de nuestros príncipes cazadores; y los nobles, reflejo siempre en sus costumbres de los reyes, han dejado morir una diversión en la cual ya no tenían a quién remedar: en España, pues, se puede decir que hay cazadores, hay individuos; pero no hay *caza* propiamente dicha, y sólo en algún rincón de provincia da todavía esta antigua afición señales de un resto de agonizante vida.

Una de las provincias a que esto puede aplicarse con más razón es la Extremadura; destinada la mayor parte a dehesas para pasto, sumamente despoblada y cubierta de encinas, malezas y jarales, se puede decir que es casi toda ella un inmenso soto; agréguese a esto que no necesitando cultivo alguno ni laboreo la mayor parte de su terreno, gran parte de los hombres del país no tienen más modo de vivir que constituirse guardas de las dehesas de los señores, o darse ellos mismos a la caza, atropellando todos los respetos de la propiedad, que en nin-

guna otra provincia está más desconocida, y haciendo la
vida de los pueblos primitivos del hombre de la naturaleza: ni agricultura todavía, ni industria, ni comercio,
ni ciencias, ni artes, ni bellas letras... Caza para comer
y cubrirse; hay poblaciones enteras esencialmente caza-
doras; la existencia y la fisonomía de estos seres son enteramente originales.

Al dejar Mérida el conde de ***, joven de una ilustración y talento poco comunes en su edad, de un patriotismo que ha probado en varias ocasiones, y de un trato
superior a todo elogio, en cuya compañía había salido de
Madrid, me invitó a pasar unos días en una de sus
mejores posesiones, famosa en el país por la abundancia
de caza mayor y menor que encierra. No llevando en mi
viaje ni prisa ni objeto determinado, siéndome del todo
indiferente matar el tiempo en una dehesa, en Badajoz
o fuera de España, y costándome, por otra parte, algún
trabajo separarme tan pronto de una persona cuya amistad había hecho para mí de un viaje árido un paseo
delicioso, me decidí a admitir un convite que podía pro-
porcionarme además una ocasión de estudiar la caza y
los cazadores.

No tardamos en llegar al desierto que íbamos a habi-
tar por algunos días: una dehesa inmensa, empotrada
en medio de otras inmensas dehesas; el suelo alfombra-
do de cuantas flores y hierbas de diversos y vivísimos
matices se pueden imaginar, cubierto de altísimos jarales, salpicado de robustas encinas, y hormigueando por
todas partes la caza; jabalíes, venados, ciervos, gamos,
lobos, zorros, liebres, conejos, águilas, buitres, milanos,
grullas, perdices, palomas, buhos, urracas, cucos, alondras, multitud de otras aves, aves de todas especies y
colores, todo esto junto, revuelto, y casi mezclado, vo-
lando, saltando, corriendo, aullando, bramando, cantan-
do; una figura humana alguna vez; un sol de justicia
dando de día color y calor al cuadro y una argentada
luna, rodeada de lucientes estrellas, dándole de noche som-
bras y misterio; figúrese usted todo esto, añádale usted
algún rebaño de ovejas y cabras trepando por la colina,
tal cual vaca al parecer sin dueño, alguna yegua de un
pastor seguida de sus potros, alguna mula, algún otro
cuadrúpedo que no nombraré, diversas castas de perros,
mastines, caseros y de caza, un gallinero en la cabaña
de los guardas y un arroyo de cuando en cuando po-
blado de ruidosas ranas, y tendrá usted la representación
perfecta de la creación.

La vivienda humana, la población más inmediata, está
dos leguas. Hornachos, célebre en el país por sus naran-

jas, que pueden realmente competir, si no en el número,
en la calidad con las mejores de Valencia, de Andalucía
y de Portugal. Tanto éste como los demás pueblos del
alrededor son enteramente cazadores, lo cual no puede
menos de resultar en grave perjuicio de la misma caza,
que diariamente se disminuye, y que acabará por desaparecer del todo.

El aspecto de uno de esos hombres que viven de la
caza, llamados vulgarmente *corsarios*, no es menos original que su lenguaje. Un mal sombrerillo gacho amari-
llento, curtido del polvo y del sol; una zamarra de piel;
calzón de paño burdo; polaina o botín de cuero: zajones
de cuero pendientes de la cintura; por calzado un pedazo
de piel, sin curtir, sujeto a la pierna con cordeles; una
canana alrededor del cuerpo; un morral de piel; perdi-
gonera y polvorín de cuerno y una escopeta sencilla,
vieja, antiquísima, de cañón largo, de chispa, llena toda
de remiendos y composturas, escopeta, sin embargo, que
ninguno de ellos cambiaría por otra de dos cañones y
pistón del mismo *Delpire*, y escopeta que jamás les falta.
Barba crecida; las pestañas y las cejas comidas de la intemperie; las manos y la cara como las de las fieras que
persiguen, curtidas, sin pasiones, sin sentimientos, sin
expresión; seres de los montes, sus facciones parecen ra-
yas indeterminadas semejantes a las de la corteza de los
árboles. No pregunte usted a este hombre si hay rey o
reina en Madrid, si es carlista o liberal; sino si hay caza
en el monte. Después de su frugal almuerzo, el corsario
se lanza fuera de su choza alguna vez con reclamo, más
comúnmente con perro, tan fiero y tan campesino como
él, y nuevo Robinson del monte, le recorre, le devasta,
le saquea, y corre a vender al pueblo inmediato por siete
u ocho cuartos el fruto del sudor de un día, que él
nunca come, sea por hastío, sea por remordimiento. ¿Por
remordimiento? Precisamente: no puedo hallar otro origen a la diferencia que el hombre establece entre matar
hombres y animales que su infinito amor propio; sin
embargo, hay animales que valen más que hombres, y
hombres que deberían darse la enhorabuena si no fueran
más que animales.

Pero llega el domingo, día anhelado por los empleados
de la ciudad inmediata. ¿Es una pascua? Mejor: la batida durará tres días; el sábado por la tarde se ensillan
los caballos, se hacen provisiones, y en marcha. Se con-
vocan los mejores escopetas y corsarios, aquéllos para
darles *ojeos* en competente número y cubrir todos los
*puestos*, y éstos para dirigirlos y reconocer las *manchas*
o espesuras donde se alberga la caza. Aquella noche se

pasa al hogar alrededor de una encina, oyendo al corsario más experimentado; él explica la caza de la perdiz
como la más divertida y honorífica; la de los conejos
al *aguardo* es pesada, y no se puede hacer sino a la madrugada y a la caída de la tarde; en tiempo de su cría,
la mejor es la *chilla;* la *mancha* de la *tristeza,* que cae
al Oriente, es la mejor para liebres; en otro *manchón*
hay venado o *cochino;* pero éste no se puede cazar sin
gran *recoba,* y todavía no se han traído todos los perros;
él arregla los ojeos para el día siguiente, y asaïnetea, en
fin, su conversación con el relato útil de mil anécdotas
de caza, con la variedad de los lances de su vida.

A la mañana, con la aurora, todo el mundo está alerta:
los corsarios y escopetas, de pie y en rueda, hunden en
un enorme caldero, después de haberse santiguado, su
cuchara de cuerno sin mango, sacan con ella una cucha-
rada de migas, la cual hacen pasar a la mano y de ésta
a la boca; repetida esta operación hasta apurar el caldero, todo el mundo se dirige al sitio donde se va a dar
la batalla; momento de confusión: nadie pide parecer,
cada cual da el suyo: uno pide pólvora, otro perdigones,
otro postas por si sale alguna res; en fin, se carga; los
ojeadores, precedidos de un corsario, van a tomar la
vuelta de la *mancha* o espesura designada, y a rodearla,
en tanto que los escopetas y cazadores, capitaneados por
otro corsario inteligente, van a ocupar con el mayor silencio los puestos a la parte contraria: allí, estatuas de
sí mismos, y árboles entre otros árboles, esperan traido-
ramente a las víctimas, que ahuyentadas y encaminadas a
ellos por los palos y las voces de los ojeadores, vienen
a ofrecerse al tiro, no teniendo otra salida que los puestos.
Apurada una mancha se pasa a otra, y así sucesivamente. A media mañana se comen unas naranjas y se
echa un trago; a las tres o a las cuatro se recoge la gente
a la casa, y se devora con apetito parte de la mortandad
de la mañana; con el bocado en la boca, y con todo el
calor del sol, se vuelve a la caza, se cena, se sueña con
la caza, hombres y perros, y al día siguiente se repite la
misma función.

Los escopetas y cazadores ejercitados matan; pero los
aficionados principiantes o se sobrecogen a la salida del
*bicho* y pierden el momento favorable, o se mueven y hacen
torcer de su camino los animales maliciosos, o tiran por
fin demasiado pronto sin calcular el tiempo y la distancia, el vuelo recto de la perdiz, o torcido de la paloma;
en una palabra, no logran hacer dar a una liebre la
vuelta de *campana.*

Concluída la batida se suman las piezas, se reúnen las
tropas, se cruzan apuestas sobre el número de vencejos
que matarán en el pueblo el día siguiente: hay quien se
atreve a matar con bala, de doce nueve; se suceden las
burlas y los denuestos entre los peritos; y los pobres aficionados se muerden los labios de despecho, y se vuel-
ven a la ciudad con una insolación o un tabardillo, la
piel tostada, y con la perspectiva ante los ojos de los sar-
casmos y las chanzas de las damas que los esperan con
impaciencia para vengarse de la soledad en que las ha
dejado una diversión que por lo regular aborrecen como
una rival que les roba sus víctimas y adoradores.

El cazador generalmente es infatigable: a la larga le
sucede siempre alguna avería, o pierde un ojo o un dedo,
o se rompe un brazo, y diariamente por lo regular se
hiere y se estropea bregando entre la maleza; el sol y
el aire, el agua y el frío le combaten, los peligros le cer-
can; pero todo ello es nada a sus ojos. Haya qué matar,
y vamos viviendo. En eso se parece al militar y al médico. Hay cierta felicidad en su vida, envidiable aun para
aquellos que no comprenden todas sus delicias. Desnudo
de ambición y de otras pasiones mundanas, nada le impide satisfacer la suya, porque la afición a la caza es
como el amor, una pasión; donde está ha de dominar. Es como
ciertas enfermedades que se apoderan hasta de los huesos
del enfermo: el cazador es todo caza. Una puerta cerrada de golpe es un tiro para él; en medio de su fre-
nesí, su podenco mismo entre las matas es un zorro; un
compañero que bulle entre la jara es un ciervo, y el
burro de ganadero que corre espantado de los tiros entre las encinas, recibe más de una vez una posta que
se le dispara, haciéndole los honores de jabalí. La escopeta es el amigo del cazador, amigo hasta en faltarle
alguna vez; su perro es su querida, su compañera, su
mujer. En cuanto a las ventajas apelamos a todo cazador
viudo. La verdad: ¿cuál cuesta menos?, ¿cuál vale más?

Se entiende que estas circunstancias sólo corresponden
al verdadero cazador, al cazador de batida, de ninguna
manera al cazador de Madrid, que equipado de los pies
a la cabeza de instrumentos de caza, seguido de dos po-
dencos y dos galgos, sale al amanecer del domingo por
la puerta de Atocha, con su hermosa escopeta debajo del
brazo y su gorra de visera reluciente, asusta a los gorrio-
nes de la pradera del Canal, y se vuelve molido y sudado
al anochecer, después de haber tenido que comprar algún
conejo y una caña de alondras para

                                         a casa
volver como suele el conde
de Toledo, vencedor,

Este simulacro de cazador le ha descrito ya mejor que pudiera yo hacerlo mi antecesor el *Curioso Parlante*, y le dejaré por tanto descansar sobre sus comprados laureles.

Después de haber sufrido a la intemperie ratos que hubieran sido muy pesados a no haberlos aligerado la compañía del conde, y de habernos ocupado seriamente unos cuantos días en matar aquellos animales, que ni nos hacían daño, ni nos estorbaban, ni podían oponernos resistencia (si bien a mí me podía tocar muy poca parte de culpabilidad y de remordimiento), me despedí de mi amigo, proponiéndome no volver a probar mis fuerzas en un ejercicio para el cual sin duda no debo de haber nacido, y que reclamará, como todas las habilidades del mundo, su poco de vocación, que yo no tengo, y su mucho de perseverancia, de que yo no me siento capaz.

1835.

# IMPRESIONES DE UN VIAJE

## ÚLTIMA OJEADA SOBRE EXTREMADURA. DESPEDIDA A LA PATRIA

Por fin, debía dejar la España, pero bien como el que se separa de una querida a quien ha debido por mucho tiempo su felicidad, no podía menos de volver frecuentemente la cabeza para dar una última ojeada a esa patria donde había empezado a vivir, porque en ella había empezado a sentir.

Uno de los puntos que antes de mi partida se ofrecieron a mi vista fué Alange, pueblecito situado a la falda de una colina, y en una posición sumamente pintoresca; esta villa, que dista pocas leguas de Mérida, posee una antigüedad sumamente curiosa: un baño romano de forma circular y enteramente subterráneo, cuya agua nace allí mismo, y que se mantiene en el propio estado en que debía de estar en tiempo de los procónsules; recibe su luz de arriba, y los habitantes, no menos instruídos en arqueología que los meridenses, le llaman también el *baño de los moros*. (*Véase nuestro artículo sobre antigüedades de Mérida.*)

La colocación de este baño hace presumir que los romanos debieron de conocer las virtudes de las aguas termales de Alange. En el día son todavía muy recomendadas, y hace pocos años se ha construído en el centro de un vergel espesísimo de naranjos a la entrada de la población una casa de baños, donde los enfermos, o las personas que se bañan por gusto, pueden permanecer alojados y asistidos decentemente durante la temporada. El agua sale caliente, pero no se nota ni en su sabor, ni en su olor, ninguna diferencia esencial del agua común. Los naturales me refirieron una de sus primeras virtudes populares. Los arroyos y pequeñas charcas que se forman en el país de las aguas llovedizas crían infinitas sanguijuelas, las cuales se introducen muchas veces en la boca de las caballerías y las desangran; en tales casos parece que con sólo llevar el animal, acometido mal de su grado, del régimen brusista, al manantial termal y hacerle beber del agua, los bichos sanguinarios sueltan la presa y dejan libre al paciente. En una nación donde hay tanta sanguijuela, que como la de Horacio no se separa de su empleo, *nisi plena cruoris*, no parece inútil la publicación de este sencillo modo de hacerles soltar la presa. Sólo es de temer que no haya en todo Alange agua bastante para empezar.

Este pueblo, de fundación árabe, posee además en lo alto de un cerro eminente los restos de un castillo moro, y a sus pies corre el Matachel, riachuelo o torrente notable por la abundancia de adelfas que coronan sus márgenes.

Considerada la Extremadura históricamente, ofrece al viajero multitud de recuerdos importantes y patrióticos, y hace un papel muy principal en nuestras conquistas del Nuevo Mundo: de ella salieron la mayor parte de nuestros héroes conquistadores. Hernán Cortés reconoce por patria a Medellín, y Pizarro a Trujillo. Este último pueblo conserva un carácter severo de antigüedad que llama la atención del viajero; los restos de sus murallas, y multitud de edificios particulares repartidos por toda la población, tienen un sello venerable de vejez para el artista que sabe leer la historia de los pueblos y descifrar en sus monumentos el carácter de cada época.

Pero considerada la Extremadura como país moderno en sus adelantos y en sus costumbres, es acaso la provincia más atrasada de España, y de las que más interés ofrecen al pasajero.

Si se exceptúa la Vera de Plasencia y algún otro punto, como Villafranca, en que se cultiva bastante la viña y el olivo, la agricultura es casi nula en Extremadura. La riqueza agrícola de la provincia consiste en sus inmensos yermos, en sus praderas y encinares, destinados a pastos de toda clase de ganados. Antes de la guerra de la Independencia y del decaimiento de la cabaña española las dehesas eran un manantial de riqueza para el país, y sobre esa base se han acumulado fortunas colosales. Aún en el día, produciendo más la tierra de las dehesas que la puesta a labor, fácilmente se concibe que la provincia debe de ser sumamente despoblada; y reasumida la poca riqueza en unos cuantos señores o capitalistas, resulta una desigualdad inmensa en la división de la propiedad. El sistema de las dehesas es sumamente favorable además a la caza, de suerte que el pobre no halla más recurso que ser guarda de una posesión, cuando tiene favor para ello, o darse a aquel ejercicio. Así es que hay pueblos enteros que se mantienen como las sociedades primitivas y que están a dos dedos del estado de la naturaleza: ejercen su profesión así en los terrenos de los *propios* como en los de pertenencia particular; en ninguna provincia puede estar más desconocido el derecho de propiedad.

El hombre del pueblo en Extremadura es indolente, perezoso, hijo de su clima, y en extremo sobrio. Pero franco y veraz, a la par que obsequioso y desinteresado. Se ocupa poco de intereses políticos, y encerrado en su vida oscura, no se presta a las turbulencias. Animada en el día la provincia del mejor espíritu por la buena causa, si no hará gran peso en la balanza liberal, tampoco ofrecerá un foco ni un asilo a los traidores.

La industria no existe más adelantada que la agricultura: alguna fábrica de cordelería, de cinta, de paño burdo, de bayeta, de sombreros y de curtidos (sobre todo en Zafra) para el consumo del país, son las únicas excepciones a la regla general; por lo demás, tampoco sus habitantes echan mucho de menos sus productos; las casas; miserablemente alhajadas, no admiten superfluidad ninguna; si se exceptúan las pocas habitaciones de algunas personas de dinero y gusto, que en los pueblos principales hacen venir de fuera a gran costa cuanto necesitan, se puede asegurar que la vivienda de un extremeño es una verdadera posada, donde el cristiano no puede menos de tener presente que hace en esta vida una simple peregrinación y no una estancia.

Una vez conocido el estado de la agricultura y de la industria, fácil es deducir de cuán poca importancia será el comercio. Encerrada entre Castilla la Nueva, Portugal y Andalucía, sin ríos navegables, sin canales, sin más caminos que los indispensables para no ser una isla en medio de España, sin carruajes ni medios de conducción, ¿quién podría traer a una provincia despoblada y acostumbrada a carecer de todo sus productos, en cambio de los cuales sólo puede ofrecer a la exportación alguna lana (porque es sabido que los más de los ganados que gozan sus pastos no son extremeños), algún aceite que envía al Alemtejo, algún cáñamo, miel, cera, piaras de cerdos y embuchados hechos de este precioso animal? El comercio de importación es casi nulo, y la exportación se podría reducir a la que se hace de ganados en la feria famosa de Trujillo, y a la que practican sus célebres choriceros en los mercados de Madrid. En el mismo Badajoz está muy expuesto el viajero a no encontrar nada de lo que necesite: si, desgraciadamente, no lleva consigo cuanto puede hacerle falta, ni encontrará un sombrero de buena calidad, ni calzado bien hecho, ni un sastre regular, ni unos guantes, en fin, cosidos en la capital. Algunas producciones excelentes de su suelo, como son las frutas, entre las cuales se distinguen las naranjas, el melón y la sandía, sólo pueden servir al consumo del país.

La carretera de Madrid a Badajoz, principal camino de Extremadura, es una de las más descuidadas e inseguras de España. En primer lugar, no hay carruajes; una endeble empresa sostiene la comunicación por medio de galeras mensajerías aceleradas, que andan sesenta leguas en cinco días; es decir, que para llegar más pronto el mejor medio es apearse. Por otra parte, son tales, que, galeras por galeras, se les pudieran preferir las de los forzados; sólo de quince en quince días sale una especie de *coche-góndola* con honores de diligencia. Servida además esta empresa por criados medianamente selváticos e insolentes, no ofrece al pasajero los mayores atractivos; añádase a esto que por economía o por otras causas difíciles de penetrar, durante todo el viaje paran sus carruajes en la posada peor de todo el pueblo, donde hay más de una.

En segundo lugar, esas posadas, fieles a nuestras antiguas tradiciones, son por el estilo de la que nos pinta Moratín en una de sus comedias; todas las de la carrera rivalizan en miseria y desagrado, excepto la de Navalcarnero, que es peor y campea sola sin émulos ni rivales por su rara originalidad y su desmantelamiento; entiéndase que hablo sólo de la que pertenece a la empresa de las mensajerías; habrá otras mejores tal vez, no es difícil.

En tercer lugar, suele haber ladrones, y entre otras curiosidades que se van viendo por el camino (como, por ejemplo, el árbol en que fué ahorcado por su misma tropa el general San Juan en una época de exaltación), mal pudiera olvidar los dos amenos sitios que se descubren antes de llegar a Mérida, comúnmente llamados los *confesonarios*: el *grande* y el *chico*, nombre verdaderamente original; él solo es la mejor pincelada con que el escritor de costumbres puede pintar a un pueblo: nombre lleno

de poesía y de misterio; nombre que vale él solo más que
una novela; nombre impregnado de un orientalismo singular y a la vez terrible, sublime e irónico, dado por un
pueblo religioso a un asilo de bandidos. Los confesonarios
son dos hondonadas inmediatas, dos pequeños valles do-
minados por todas partes y protegidos de la espesura, donde los forajidos *confiesan* a los pasajeros, donde los *pecados* son el dinero y la vida y donde un *puñal* hace a la
vez de absolución y de penitencia. Niéguese a nuestro
pueblo la imaginación. Otros países producen poetas. En
España el pueblo es poeta.

Sobre la orilla izquierda del Guadiana, al Oeste y a
una legua de la frontera de Portugal, se encuentra Badajoz, antigua capital de la Extremadura y residencia
de sus reyezuelos moros. Esta plaza fuerte, cuyas fortificaciones ofrecen una rara mezcla de diversos sistemas de
fortificación, ofrece al forastero en su mayor eminencia
restos venerables de sus dominadores árabes; murallas,
calles, casas y hasta torres enteras revelan otros tiempos
y otras costumbres al viajero. A parte del río se ve el
palacio llamado de Godoy.

Por lo demás, Badajoz nada ofrece de curioso: ni una
iglesia digna de ser vista, ni un cuadro en ellas de mediano pincel, ni una mala biblioteca, ni un colegio, ni un
teatro, ni un paseo. No se puede llamar paseo a los árboles nacientes del Campo de San Francisco, debidos al
celo del general Anleo; ni al Campo de San Juan, pequeña plazuela en medio de la ciudad adornada de algunos
árboles y bancos; ni teatro una especie de sala donde
algunos aficionados o tal cual compañía ambulante dan
de cuando en cuando sus originales representaciones. La
alameda de *Palmas* está abandonada por malsana desde
el cólera. El billar, el ejercicio de los Urbanos en el Campo de San Roque, la retreta y dos o tres cafés son las
distracciones de la población. Hay una fonda llamada,
si mal no me acuerdo, de *Las Cuatro Naciones. Menos
naciones y mejor servicio* puede uno decir al salir de ella.

La amabilidad, sin embargo, y el trato fino de las personas y familias principales de Badajoz compensan con
usura las desventajas del pueblo, y si bien carece de
atractivos para detener mucho tiempo en su seno al viajero, al mismo tiempo le es difícil a éste separarse de
él sin un profundo sentimiento de gratitud por poco que
haya conocido personas de Badajoz y que haya tenido
ocasión de recibir sus obsequios y de ser objeto de sus
atenciones.

La costumbre que en todos los pueblos se conserva de
blanquear casi diariamente las fachadas de las casas les

da un aspecto de novedad y de limpieza singulares; no hay edificio que parezca viejo; en una palabra, en Extremadura la casa es un ser animado que se lava la cara todos los días.

Para pasar a Portugal se sale de Badajoz por la puerta de Palmas, y se pasa el Guadiana sobre un magnífico puente. No llamándome la atención nada en Extremadura, me decidí por fin a partir.

Era el 27 de mayo; el sol empezaba a dorar la campiña y las altas fortificaciones de Badajoz; al salir saludé el pabellón español, que en celebridad del día ondeaba en la torre de Palmas. Media hora después volví la cabeza: el pabellón ondeaba todavía; el Caya, arroyo que divide la España del Portugal, corría mansamente a mis pies; tendí por última vez la vista sobre la Extremadura española; mil recuerdos personales me asaltaron; una sonrisa de indignación y de desprecio quiso desplegar mis labios, pero sentí oprimirse mi corazón, y una lágrima se asomó a mis ojos.

Un minuto después la patria quedaba atrás, y arrebatado con la velocidad del viento, como si hubiera temido que un resto de antiguo afecto mal pagado le detuviera o le hiciera vacilar en su determinación, expatriado corría los campos de Portugal. Entonces el escritor de costumbres no observaba; el hombre era sólo el que sentía.

## LA FONDA NUEVA

Preciso es confesar que no es nuestra patria el país donde viven los hombres para comer: gracias, por el contrario, si se come para vivir; verdad es que no es éste el único punto en que manifestamos lo mal que nos queremos; no hay género de diversión que no nos falte; no hay especie de comodidad de que no carezcamos. "¿Qué país es éste?", me decía no hace un mes un extranjero que vino a estudiar nuestras costumbres. Es de advertir, en obsequio a la verdad, que era francés el extranjero, y que el francés es el hombre del mundo que menos concibe el monótono y sepulcral silencio de nuestra existencia española. —Grandes carreras de caballos habrá aquí —me decía desde el amanecer—; no faltaremos. —Perdone usted —le respondía yo—; aquí no hay carreras. —¿No gustan de correr los jóvenes de las primeras casas? ¿No corren aquí siquiera los caballos?... —Ni siquiera los caballos. —Iremos a caza. —Aquí no se caza: no hay dónde ni qué. —Iremos al paseo de coches. —No hay coches. —Bien; a

una casa de campo a pasar el día. —No hay casas de
campo, no se pasa el día. —Pero habrá juegos de mil suertes diferentes, como en toda Europa...; habrá jardines pú-
blicos donde se baile; más en pequeño, pero habrá sus
*Tívolis*, sus *Ranelagh*, sus *Campos Elíseos*...; habrá algún
juego para el público. —No hay nada para el público: el
público no juega.

Es de ver la cara de los extranjeros cuando se les dice
francamente que el público español o no siente la necesidad interior de divertirse o se divierte como los sabios
(que en eso todos lo parecen) con sus propios pensamientos; creía mi extranjero que yo quería abusar de su cre-
dulidad, y con rostro entre desconfiado y resignado: —Paciencia —me decía por fin—; nos contentaremos con ir
a los bailes que den las casas de buen tono y las suárés... —Paso, señor mío —le interrumpí yo—; ¿conque es
bueno que le dije que no había gallinas y se me viene pidiendo....? En Madrid no hay bailes, no hay suárés. Cada
uno habla o reza o hace lo que quiere en su casa con
cuatro amigos muy de confianza y basta.

Nada más cierto, sin embargo, que este tristísimo cuadro de nuestras costumbres. Un día sólo en la semana,
y eso no todo el año, se divierten mis compatriotas: el
lunes, y no necesito decir en qué: los demás días, exa-
minemos cuál es el público recreo. Para el pueblo bajo
el día más alegre del año redúcese su diversión a calzarse
las castañuelas (digo calzarse porque en ciertas gentes
las manos parecen pies) y agitarse violentamente en medio de la calle, en corro, al desapacible son de la agria
voz y del desigual pandero. Para los elegantes, todas las
corridas de caballos, las partidas de caza, las casas de
campo, todo se encierra en dos o tres tiendas de la calle
de la Montera. Allí se pasa alegremente la mañana en
contar las horas que faltan para irse a comer, si no hay
sobre todo gordas noticias de Lisboa o si no dan en pasar
muchos lindos talles de quien murmurar y cuya opinión
se pueda comprometer, en cuyos casos varía mucho la
cuestión y nunca falta qué hacer. —¿Qué se hace por la
tarde en Madrid? —Dormir la siesta. —Y el que no duerme, ¿qué hace? —Estar despierto; nada más. Por la noche, es verdad, hay un poco de teatro, y tiene un elegante
el desahogo inocente de venir a silbar un rato la mala
voz del bufo *caricato* o a aplaudir la linda cara de la
*altra prima donna;* pero ni se proporciona tampoco todos
los días ni se divierte en esto sino en muy reducido número de personas, las cuales, entre paréntesis, son siempre las mismas, y forman un pueblo chico de costumbres
extranjeras, embutido dentro de otro grande de costum-

bres patrias, como un cucurucho menor metido en un
cucurucho mayor.

En cuanto a la pobre clase media, cuyos límites van
perdiéndose y desvaneciéndose cada vez más, por arriba
en la alta sociedad, en que hay en ella no pocos intrusos,
y por abajo en la capa inferior del pueblo, que va con-
quistando sus usos, ésa sólo de una manera se divierte.
¿Llegó un día de días? ¿Hubo boda? ¿Nació un niño?
¿Diéronle un empleo al amo de la casa?, que en España
ése es el grande alegrón que hay que recibir. Sólo de
un modo se solemniza. Gran coche de alquiler, decentemente regateado; pero más gran familia: seis personas
coge el coche a lo más. Pues entra papá, entra mamá,
las dos hijas, dos amigos íntimos convidados, una prima
que se apareció allí casualmente, el cuñado, la doncella,
un niño de dos años y el abuelo; la abuela no entra porque murió el mes anterior. Ciérrase la portezuela entonces con la misma dificultad que la tapa de un cofre apretado para un largo viaje, y a la fonda. La esperanza de
la gran comida, a que se va aproximando el coche mal que
bien, aquello de andar en alto, el rubor de las jóvenes
que van sentadas sobre los convidados y la ausencia, sobre todo, del diurno puchero, alborotan a nuestra gente
en tal disposición, que desde media legua se conoce el
coche que lleva a la fonda a una familia de enhorabuena.

Tres años seguidos he tenido la desgracia de comer de
fonda en Madrid, y en el día sólo el deseo de observar
las variaciones que en nuestras costumbres se verifican
con más rapidez de lo que algunos piensan, o el deseo
de pasar un rato con amigos, pueden obligarme a semejante despropósito. No hace mucho, sin embargo, que un
conocido mío me quiso arrastrar fuera de mi casa a la
hora de comer. —Vamos a comer a la fonda. —Gracias;
mejor quiero no comer. —Comeremos bien; iremos a Genieys; es la mejor fonda. —Linda fonda: es preciso comer
de seis o siete duros para no comer mal. ¿Qué alicien-
te hay allí para ese precio? Las salas son bien feas;
el adorno, ninguno: ni una alfombra, ni un mueble elegante, ni un criado decente, ni un servicio de lujo, ni
un espejo, ni una chimenea, ni una estufa de invierno,
ni agua de nieve en verano, ni... ni Burdeos, ni Cham-
pagne... Porque no es Burdeos el Valdepeñas, por más
raíz de lirio que se le eche. —Iremos a *Los Dos Amigos*.
—Tendremos que salirnos a la calle a comer, o a la escalera, o llevar una cerilla en el bolsillo para vernos las
caras en la sala larga. —A cualquiera otra parte. Crea
usted que hoy nos van a dar bien de comer. —¿Quiere
usted que le diga yo lo que nos darán en cualquier fonda

adonde vayamos? Mire usted: nos darán en primer lugar mantel y servilletas puercas, vasos puercos, platos
puercos y mozos puercos: sacarán las cucharas del bolsillo, donde están con las puntas de los cigarros; nos darán luego una sopa que llaman de hierbas, y que no
podría acertar a tener nombre más alusivo; estofado de
vaca a la italiana, que es cosa nueva; ternera mechada,
que es cosa de todos los días; vino de la fuente, aceitunas
magulladas, frito de sesos y manos de carnero, hechos
aquéllos y éstos a fuerza de pan; una polla que se dejaron otros ayer y unos postres que nos dejaremos nosotros para mañana. —Y también nos llevarán poco dinero,
que aquí es cosa muy barato. —Pero mucha paciencia, amigo
mío, que aquí se aguanta mucho.

No hubo, sin embargo, remedio: mi amigo no daba
cuartel, y estaba visto que tenía capricho de comer mal
un día. Fué preciso acompañarle, e íbamos a entrar en
*Los Dos Amigos*, cuando llamó nuestra atención un gran
letrero nuevo que en la misma calle de Alcalá y sobre las
ruinas del antiguo figón de Perona, dice: *Fonda del Comercio*. —¿Fonda nueva? Vamos a ver. En cuanto al local,
no les da el naipe a los fondistas para escoger local; en
cuanto al adorno, nos cogen acostumbrados a no pagarnos
de apariencias; nosotros decimos: ¡como haya que comer,
aunque sea en el suelo! Por consiguiente, nada nuevo en
este punto en la fonda nueva.

Chocónos, sin embargo, la diferencia de las caras de
ahora, y que hace medio año se veían en aquella casa.
Vimos elegantes, y diónos esto excelente idea. Realmente, hubimos de confesar que la fonda nueva es la mejor;
pero es preciso acordarnos de que la Fontana era también
la mejor cuando se instaló; ésta será, pues, otra Fontana
dentro de un par de meses. La variedad que hoy en platos
se encuentra cederá a la fuerza de las circunstancias; lo
que nunca podrá perder será el servicio: la fonda nueva
no reducirá nunca el número de sus mozos, porque es
difícil reducir lo poco; se ha adoptado en ella el principio admitido en todas: un mozo para cada sala, y una
sala para cada veinte mesas.

Por lo demás, no deja de ofrecer un cuadro divertido
para el observador oscuro el aspecto de una fonda. Si a
su entrada hay ya una familia en los postres, ¿qué efecto
le hace al que entra frío y sereno el ruido y la algazara
de aquella gente toda alborotada porque ha comido? ¡Qué
miserable es el hombre! ¿De qué se ríen tanto? ¿Han
dicho alguna gracia? No, señor; se ríen de que han comido, y la parte física del hombre triunfa de la moral,
de la sublime, que no debiera de estar tan alegre sólo

por haber comido. —Allí está la familia que trajo el coche... ¡Apartemos la vista y tapemos los oídos por no ver, por no oír!

Aquel joven que entra venía a comer de medio duro; pero se encontró con veinte conocidos en una mesa inmediata: dejóse coger también por la negra honrilla, y sólo por los testigos pide de a duro. Si como son sólo conocidos fuera una mujer, a quien quisiera conquistar, la que en otra mesa comiera, hubiera pedido de a doblón; a pocos amigos que encuentre, el infeliz se arruina. ¡Necio rubor de no ser rico! ¡Mal entendida vergüenza de no ser calavera!

¿Y aquel otro? Aquel recorre todos los días, a una misma hora, varias fondas; aparenta buscar a alguien; en efecto, algo busca; ya lo encontró: allí hay conocidos suyos; a ellos derecho; primera frase suya: —¡Hombre! ¿Ustedes por aquí? —Coma usted con nosotros—, le responden todos. Excúsase al principio. —Pero si había de comer solo..., un amigo a quien esperaba no viene... Vaya, comeré con ustedes—, dice por fin, y se sienta. ¡Cuán ajenos estaban sus convidadores de creer que habían de comer con él! Él, sin embargo, sabía desde la víspera que había de comer con ellos; les oyó convenir en la hora, y es hombre que come los más días de oídas, y algunos por haber oído.

¿Qué pareja es la que sin mirar a un lado ni a otro pide un cuarto al mozo y...? Pero es preciso marcharnos; mi amigo y yo hemos concluído de comer; cierta curiosidad nos lleva a pasar por delante de la puerta entornada donde ha entrado a comer sin testigos aquel oscuro matrimonio..., sin duda... Una pequeña parada que hacemos alarma a los que no quieren ser oídos, y un portazo dado con todo el mal humor propio de un misántropo nos advierte nuestra indiscreción y nuestra impertinencia. Paciencia, salgo diciendo: todo no se puede observar en este mundo; algo ha de quedar oscuro en un cuadro: sea esto lo que quede en negro en este artículo de costumbres de la Revista Española.

1835.


## LAS CASAS NUEVAS

La constancia es el recurso de los feos, dice la célebre Ninón de Lenclos en sus lindas cartas al marqués de Sevigné; las personas de mérito que saben que dondequiera han de encontrar ojos que se prenden de ellas, no se curan de conservar la prenda conquistada; los feos, los necios, los que viven seguros de que difícilmente podrán encontrar quien llene el vacío de su corazón, se adhieren al amor, que una vez por acaso encontraron, como las ostras a las peñas que en el mar las sostienen y alimentan.

Éstos son generalmente los que, temerosos de perder el bien, que conocen no merecer, preconizan la constancia, la erigen en virtud, y hacen con ella el tormento de una vida que deben llenar la variedad y la sucesión de sensaciones tan vivas como diferentes.

Aquella máxima de coqueta, al parecer ligera, si no es siempre cierta, porque no a todos les es dado el poder ser inconstantes, es, sin embargo, profunda y filosófica, y aun puede, fuera del amor, encontrar más de una exacta aplicación. Pero mi propósito no es hundirme en consideraciones metafísicas acerca del amor; tengamos lástima al que le ha dejado tomar incremento en su corazón, y pasemos como sobre ascuas sobre tan quisquilloso argumento. El hecho es que no tenía yo la edad todavía de querer ni de ser querido, cuando entre otras varias obras francesas que en mis manos cayeron, hacía ya un papel muy principal la de la famosa cortesana citada. Chocóme aquella máxima; y fuese pueril vanidad, fuese temor de que por apocado me tuviesen, adoptéla por regla general de mis aficiones. Tuve que luchar en un principio con la costumbre, que es en el hombre hija de la pereza y madre de la constancia. El hombre, efectivamente, se contenta muchas veces con las cosas tales cuales las encuentra, por no darse a buscar otras, como se figura acaso difícil encontrarlas; una vez resignado por pereza, se aficiona por costumbre a lo que tiene y le rodea, y una vez acostumbrado, tiene la bondad de llamar constancia a lo que es en él casi naturaleza. Pero yo luché, y al cabo de poco tiempo de ese empeño en cerrar mi corazón a las aficiones que pudieran llegar a dominarle, agregado esto a la necesidad de viajar y variar de objetos, en que las revoluciones del principio del siglo habían puesto a mi familia, lograron hacer de mí el ser más veleidoso que ha nacido. Pesándome de ver a las mismas gentes todos los días, no hay amigo que me dure una semana; no hay tertulia adonde pueda concurrir un mes entero; no hay hermosa que me lo parezca todos los días, ni fea que no me encante una vez siquiera al mes: esto me hace disfrutar de inmensas ventajas, porque sólo se puede soportar a las gentes los quince primeros días que se las conoce. ¡Qué de atenciones en ellas! ¡Qué de sinceros ofrecimientos! ¿Pasaron aquéllos? ¿Se intimó la amistad? ¡Adiós!, como ya de cualquier modo tienen cumplido con usted, todos son desaires, todas crudas y acedas respuestas. Pesándome de comer siempre

los mismos alimentos, hoy como a la francesa, mañana a
la inglesa, un día ceno y otro meriendo; ni tengo horas
fijas, ni hago comida con concierto. Y esto tiene la ventaja de predisponerme para el cólera. Pesándome de hablar siempre en español, tengo amigos franceses sólo para
hablar en francés una hora al día; me trato con los ope-
ristas para hablar una vez a la semana en italiano; apren-
dí griego por conocer una lengua que no habla nadie; y
sufro las impertinencias de un inglés, a quien trato, por
darme a entender en el idioma en que decía Carlos V que
hablaría a los pájaros. Pesándome de que me llamen todos
los días, desde el año 9 en que nací, por el mismo apellido,
cien veces dejé aquel con que vine al mundo, y ora fuí
el *Duende satírico*, ora el *Pobrecito hablador*, ora el *Ba-
chillier Munguía*, ora *Andrés ni por ésas*, ora *Fígaro*, ora...,
y qué sé yo los muchos nombres que me quedarán aún que
tomar en los muchos años que, Dios mediante, tengo hecho propósito de vivir en este bajo suelo; porque si alguna
cosa hay que no me canse es el vivir, y si he de decir la
verdad, consiste esto en que a fuerza de meditar he venido
a conocer que sólo viviendo podré seguir variando. Por
último, y vengamos al asunto, pesándome de vivir todos
los días en una misma casa, la vista de un cuarto desal-
quilado hace en mi ánimo el mismo efecto que produce la
picadura del pez en el corazón del anhelante pescador que
le tiende el cebo. Corro a mi casa, pongo en movimiento
a mi familia, hágome la ilusión de que emprendo un viaje, y de cuartel en cuartel, de calle en calle, de manzana
en manzana, y hasta de piso en piso, recorro alegremente
y reconozco los más recónditos escondrijos y rincones de
esta populosa ciudad. Si la casa es grande: "¡Qué hermosura!, exclamó; esto es vivir con desahogo, esto es lujo
y magnificencia." Si es chica: "Gracias a Dios, me digo,
que salí de esos eternos caserones que nunca bastan muebles para ellos; ésta es a lo menos recogida, reducida, propia, en fin, del hombre tan reducido también y limitado."
Si es cuarto bajo: "No tiene escalera, digo, y el hombre
no ha nacido para vivir en las estrellas." Si es alto el
piso: "¡Bendito sea Dios, qué claridad, qué ventilación,
y qué pureza de aires!" Si es caro: "¿Qué importa?, lo
primero es tener buena habitación." Si es barato: "Mejor;
con eso emplearé en galas lo que había de invertir en mi
vivienda."

Nadie, pues, más feliz que yo, porque en cuanto a las
habladurías y murmuraciones del mundo perecedero, así
me cuido de ellas como de ir a la Meca. Pero es el caso
que tengo un amigo que es de esos hombres que se dejan
impresionar fácilmente por la última persona que oyen,

de esos caracteres débiles, flojos, apáticos, irresolutos, de reata, en fin, que componen el mayor número en este mundo, que nacieron por consiguiente para obedecer, callar y ser constantemente víctimas, y cuya debilidad es la más firme columna de los fuertes.

Oyóme este amigo las reflexiones que anteceden, y vean ustedes a mi hombre descontento ya con cuanto le rodea: ya que no lo puede mudar todo, quiere cuando menos mudar la casa, y hétele buscando conmigo papeles en los balcones de barrio en barrio, porque ésta es muy de antiguo la señal que distingue las habitaciones alquilables de esta capital, sin que yo haya podido dar hasta ahora con el origen de esta conocida costumbre, ni menos con la de poner los papeles en las esquinas de los balcones cuando la casa es sólo alquilable para huéspedes.

Las casas antiguas, dijimos, que van desapareciendo de Madrid rapidísimamente, están reducidas a una o dos enormes piezas y muchos callejones interminables; son demasiado grandes; son oscuras por lo general a causa de su mala repartición y combinación de entradas, salidas, puertas y ventanas.

Dirigímonos, pues, a ver las casas nuevas; esas que surgen de la noche a la mañana por todas las calles de Madrid; esas que tienen más balcones que ladrillos y más pisos que balcones; esas por medio de las cuales se agrupa la población de esta coronada villa, se apiña, se sobrepone y se aleja de Madrid, no por las puertas, sino por arriba, como se marcha el chocolate de una chocolatera olvidada sobre las brasas. La población que se va colocando sobre los límites que encerraron a nuestros abuelos me hace el efecto del helado que se eleva fuera de la copa de los sorbetes. El caso es el mismo: la copa es pequeña y el contenido mucho.

Muchas casas y muy lindas vimos. Mi amigo observó con razón que se sigue en todas el método antiguo de construcción: sala, gabinete, y alcoba pegada a cualquiera de estas dos piezas; y siempre en la misma cocina, donde se preparan los manjares, colocado inoportuna y puercamente, el sitio más desaseado de la casa. ¿No pudiera darse otra forma de construcción a las casas, de suerte que este sitio quedase separado de la vivienda, como en otros países lo hemos visto constantemente observado? ¿No pudieran llegarse a desusar esos vidrios horribles, desiguales, pequeños, unidos por plomos, generalmente invertidos en las vidrieras? ¿No se les podrían sustituir vidrios de mejor calidad, de más tamaño, y unidos sobre todo entre sí con sutiles listones de madera, que harían siempre mejor efecto a la vista y darían más entrada a la luz? ¿No convendría desterrar esas pesadas maderas que cierran los balcones, llenas de inútiles rebajos y costosas labores, sustituyéndoles puertas-ventanas de hojas más delgadas y lisas? ¿No pudiera introducirse el uso de las comodísimas chimeneas para las casas sobre todo más espaciosas, como se hallan adoptadas en toda Europa? ¿Tanto perderíamos en olvidar los mezquinos y miserables braseros que nos abrasan las piernas, dejándonos frío el cuerpo y atufándonos con el pestífero carbón, y que son restos de los sahumadores orientales introducidos en nuestro país por los moros? ¿Qué mal haríamos en desterrar los canelones salientes, cuyo objeto parece ser el de reunir sobre el pobre transeúnte, además del agua que debía naturalmente caerle del cielo, toda la que no debía caerle, y en sustituirles los conductos vertederos semejantes a los de Correos, pegados a la pared?

Los caseros más que el interés público consultan el suyo propio: *aprovechemos terreno;* ése es su principio: *apiñemos gente en estas diligencias paradas, y vivan todos como de viaje:* cada habitación es en el día un baúl en que están las personas empaquetadas de pie, y las cosas en la posición que requiere su naturaleza; tan apretado está todo, que en caso de apuro todo podría viajar junto sin romperse. Las escaleras son cerbatanas, por donde pasa la persona como la culebra que se roza entre dos piedras para soltar su piel. Un poco más de hombre o un poco menos de escalera, y serán una sola cosa hombre y escalera.

Pero sigamos la historia de mi amigo. No bien hubo visto la blancura de una de las casas nuevas, la monería de las acomodadas piececitas, el estado de novedad de las habitaciones del piso tercero, alborózose y: *¡Este cuarto es mío!,* exclama. —Pero acabémosle de ver. —Nada; inútil; quiero casa nueva, casa nueva; no hay remedio. —De allí a media hora estábamos ya en casa del casero. Inútil es decir que el casero tenía mala cara; todos la tienen: es la primera cosa que hacen en comprando casa; a lo menos tal nos parece siempre a los inquilinos, sin que esto sea decir que no pueda ser ilusión de óptica. —¿Qué tiene usted que mandarme?... —¿Usted es el dueño de la casa que se está haciendo?... —Sí, señor. —Hay varios cuartos en la casa. —Están dados. —¡Cómo! Si no están hechos... —Ahí verá usted... —Pero ¿no habría?... —Un tercero queda. —Bueno; he dicho que quiero casa nueva. —No es tampoco de los más altos, caballero: no tiene más que noventa y tres escalones y un tramito. —Ya se ve que no es mucho: se baja uno a Madrid en un momento; quiero casa nueva. —¿Pagará usted adelantado? —Hombre, ¿adelantado? A mí nadie me paga adelantado. —Pues déjelo usted. —¡Ah!,

no, eso no; bien, pagaré ¿un mes? —Tres meses o seis.
—Pero, hombre... —Dejarlo. —No; bien, bien; ¿cuánto renta? Es tercero, y tiene pocas piezas y estrechas, y... —Diez
reales diarios; dé usted gracias que no se le pone en doce.
—¡Diez reales! —Si no acomoda... —Sí, señor, sí. ¡Cómo
ha de ser! ¡Casa nueva! —Fiador. —¿Fiador? —Y abonado. —Bueno; ¡paciencia! Tengo amigos; el marqués de...
—¿Marqués? No, no, señor. —El coronel de... —¿Militar?
Menos. —Un mayordomo de semana. —¿Tiene fuero? No,
señor. —Pero, hombre, ¿adónde he de ir a buscar?... —Ha
de tener casa abierta. —Pero si yo no me trato con taberneros, ni... —Pues, dejarlo. —¡Voto va!

No hubo más remedio que buscar el fiador: ya daba mi
amigo la mudanza a todos los diablos. Venciéronse por fin
las dificultades; ya cogió las llaves, y cogió al celador, y
cogió el padrón, y cogió... ¿qué había de coger por último?,
el cielo con las manos, lectores míos. Comenzó la mudanza: el sofá no cupo por la escalera; fué preciso izarle por
el balcón, y en el camino rompió los cristales del cuarto
principal, los tiestos del segundo, y al llegar al tercero,
una de sus propias patas, que era precisamente la que le
había estorbado; si se hubiera roto al principio, pleito por
menos; fué preciso pagar los daños; el bufete entró como
taco en escopeta, haciendo más allá la pared a fuerza de
rascarle el yeso con las esquinas, la cama del matrimonio
tuvo que quedarse en la sala, porque fué imposible meterla
en la alcoba; el hermano de mi amigo, que es tan alto
como toda la casa, se levantó un chichón, en vez de levantar la cabeza, con el techo que estaba hombre en medio con
el piso. En fin, mal que bien, estuvo ya la casa adornada;
pero ¡oh desgracia! Mi amigo tiene un suegro sumamente
gordo; verdad es que es monstruoso; y es hombre que ha
menester dos billetes en la diligencia para viajar; como a
éste no se le podía romper pata como al sofá, no hubo
forma de meterlo en casa. ¿Qué medio en este conflicto?
¿Reñir con él y separarse porque no cabe en casa? No es
decente. ¿Meterlo por el balcón? No es para todos los días.
¡Santo Dios! ¡Que no se hagan las casas en el día para
los hombres gordos! En una palabra, desde ayer están
los trastos dentro, mi amigo en la escalera mesándose los
cabellos, luchando entre la casa nueva y el amor filial, y
el viejo en la calle esperando, o a perder carnes, o a ganar casa.

1833.

# LAS CIRCUNSTANCIAS

Las circunstancias, he pensado muchas veces, suelen ser la excusa de los errores y la disculpa de las opiniones. La torpeza o mala conducta hallan en boca del desgraciado un tápalo-todo en las circunstancias que, dice, le han traído a menos. En estas reflexiones estaba ocupada mi fantasía no hace muchos días, cuando recibí una carta, que por confirmar mis ideas sobre el particular y venir tan oportuna a este objeto, de que pensaba hacer un artículo de costumbres, quiero trasladar *ad pedem literæ* a mis lectores. Decía así la carta:

"Señor Fígaro. — Muy señor mío: A usted, señor Fígaro, observador de costumbres, me dirijo con dos objetos. Primero, quejarme de mi mala estrella. Segundo, inquirir de su experiencia, pues le imagino a usted por sus escritos hombre de esos que han vivido más de lo que les queda que vivir, si hay efectivamente de tejas abajo una fatalidad que persigue a los humanos, y una desgracia en el mundo que se asemeje a la desgracia mía. Soy un verdadero juguete de las circunstancias, cuyo torrente no pude nunca resistir, y que así me envolvieron como envuelven los violentos remolinos de una ola al inexperto nadador que se arrojó incauto en la pérfida corriente del caudaloso río.

"Mi padre era inglés y rico, señor Fígaro, pero hallábase aislado en el mundo, era naturalmente metido en sí, y sólo un amigo tenía: antojósele a este amigo entrometerse en una conspiración; confió a mi padre varios papeles importantes; descubrióse la conspiración, y ambos tuvieron que huir. Vínose mi padre a España, reducido a oro lo que pudo realizar de sus cuantiosos bienes: vió una linda gaditana, prendóse de ella, casóse, y antes de los nueve meses murió inconsolable, dando y tomando siempre en lo de la conspiración, que hubo de volverle el juicio. Vea usted aquí, señor Fígaro, a Eduardo Priestley, humilde servidor de usted, cuyo destino debía haber sido sin duda ser inglés, protestante y rico, español, católico y pobre, sin que pudiese encontrar más causa de este trastrueque que las circunstancias. Ya usted ve que la tomaron conmigo desde pequeñito. Mi madre era mujer de rara penetración y de ilustradas ideas. Crióme lo mejor que supo, y en darme toda la educación que se podía dar entonces en España consumió el poco caudal que la dejara mi padre. Lleno yo de entusiasmo por la magistratura, y aborreciendo la carrera militar a que querían destinarme, estudié leyes en

la universidad; pero puedo asegurar a usted que a pesar
de eso hubiera salido buen abogado, pues era raro mi talento, sobre todo para ese estudio. Probablemente, señor
Fígaro, después de haber sido gran abogado, hubiera vestido una toga, hubiera calentado acaso una silla ministe-
rial, y el Consejo de Castilla me hubiera recogido al fin de
mis días en su seno, donde hubiera muerto descansadamen-
te, dejando fama imperecedera. Las circunstancias, sin
embargo, me lo impidieron. Había un Napoleón en el mundo, y fué preciso que éste quisiera ser emperador, y em-
plear a sus hermanos en los mejores tronos de Europa,
para que yo no fuese ni buen abogado, ni mal ministro.

"Yo tenía sentimientos generosos; mis compañeros tomaron las armas y dejaron el estudiar nuestras leyes para
defenderlas, que urgía más. ¿Qué remedio? Dejé como fray
Gerundio los estudios y me metí a predicador; es decir,
me hice militar en obsequio de la patria. En la campaña
perdí mi carrera, la paciencia y un ojo; y las circunstancias me dejaron tuerto y capitán: sabe el cielo que para
ninguna de estas dos cosas servía. Yo, señor Fígaro, era
impetuoso y naturalmente inconstante; menos servía, pues,
para casado, ni nunca pensara en serlo; pero de resultas
del bombardeo de Cádiz murió mi madre, que gozando por
sus relaciones de familia de algún favor, hubiera adelantado mi carrera. Otro favor que me hicieron las circunstancias. Vime solo en el mundo, y en ocasión en que una
linda aragonesa, hija de un diputado de las Cortes de Cádiz, recogiéndome y ocultándome en su casa, cubierto de
heridas, me salvó la vida por una rara combinación de
circunstancias, caséme de honrado y agradecido, que no de
enamorado: es decir, que me casaron las circunstancias.
En mi segunda carrera debiera haber llegado a general,
según mis servicios, que a otros fajaron haciéndoselos muy
flacos a la patria; pero era yerno de un diputado: quitá-
ronme las charreteras, envolviéronme en la común desgracia, y las circunstancias me llevaron a Ceuta, adonde bien
sabe Dios que yo no quería ir; allí hice la vida de presi-
diario y de mal casado, que cualquiera de estos dos dogales
por sí solo bastara para acabar con un hombre. Y ve usted
que yo no tenía la culpa. ¿Quién diablos me casó? ¿Quién
me hizo militar? ¿Quién me dió opiniones? En presidio no
se hace carrera, pero se hace mucho rencor. Sin embargo,
salimos de presidio, y como yo era hombre de bien, contú-
veme; pretendí, pero como no anduve por los cafés, ni pe-
roré, medios que exigían entonces las circunstancias para
prosperar, no sólo no me emplearon, sino que me cantaron
el *trágala*. Irritéme; el cielo es testigo que yo no había nacido para periodista; pero las circunstancias me pusieron

la pluma en la mano: hice artículos contra aquel Gobierno; y como entonces era uno libre para pensar como el que estaba encima, recogí varias estocadas de unos cuantos aficionados, que se andaban haciendo motines por las calles. Ésta fué la corona de laurel que dieron las circunstancias a mi carrera literaria. Escapéme, y fuí a reunirme con los de la fe; dijéronme allí que las circunstancias no permitían admitir en las filas a un hombre que había sido marido de la hija de un diputado de las Cortes de Cádiz, y no me ahorcaron por mucho favor.

"No pudiendo vivir como realista, fuíme a Francia, donde en calidad de liberal me colocaron en un depósito, con seis cuartos al día. Vino por fin la amnistía, señor Fígaro. ¡Eh! Gracias a una reina clemente, ya no hay colores, ya no hay partidos. Ahora me emplearán, digo yo para mí; tengo talento; mis luces son conocidas, soy útil... Pero, ¡ay!, señor Fígaro, ya no tengo madre, ya no tengo mujer, ya no tengo dinero, ya no tengo amigos; las circunstancias de mi vida me han impedido adquirir relaciones. Si llegara a hacerme visible para el poder, acaso lograría: sus intenciones son las mejores del mundo; mas ¿cómo abrirme paso por entre la nube de porteros y ujieres que parapetan y defienden la llegada a los destinos? Las solicitudes que se presentan solas son papeles mojados. ¡Hay tantos que piden por pedir! ¡Hay tantos que niegan por negar! Cien memoriales he dado, otras tantas espaldas he visto. —Deje usted; veremos si estas circunstancias se fijan, me dicen los unos. —Espere usted, me responden los otros: hay tantos pretendientes en estas circunstancias. —Pero, señor, replico yo, también es preciso vivir en estas circunstancias. ¿Y no hay circunstancias para los que logran?

"Ésta es, señor Fígaro, mi posición: o yo no entiendo las circunstancias, o soy el hombre más desdichado del mundo. El hijo del inglés, el que debía haber sido rico, magistrado, literato, general, hombre ajeno de opiniones, acabará probablemente sus tres carreras distintas en un solo hospital verdadero, merced a las circunstancias; al mismo tiempo que otros que no nacieron para nada, y que han tenido realmente todas las opiniones posibles, anduvieron, andan y andarán siempre levantados en zancos por esas mismas circunstancias. = De usted, señor Fígaro. = Eduardo de Priestley, o el hombre de circunstancias."

No puedo menos de contestar al señor Priestley que el daño suyo estuvo, si hemos de hablar vulgarmente, en nacer desgraciado, mal que no tiene remedio; si hemos de raciocinar, en traer siempre trocadas las circunstancias; en no saber que mientras haya hombres la verdadera circunstancia es intrigar; estar bien emparentado; lucir más

de lo que se tiene; mentir más de lo que se sabe; calum-
niar al que no puede responder; abusar de la buena fe,
escribir en favor, y no en contra del que manda; tener
una opinión muy marcada, aunque por dentro se despre-
cien todas, procurando que esa opinión que se tenga sea
siempre la que hay que vencer, y vociferarla en tiempo y
lugar oportunos; conocer a los hombres; mirarlos de puertas adentro como instrumentos, y tratarlos como amigos;
cultivar la amistad de las bellas como terreno productivo;
casarse a tiempo, y no por honradez, gratitud ni otras ilu-
siones; no enamorarse sino de dientes afuera, y eso de las
cosas que puedan servir...

Pero, Santo Dios, gritará un rígido moralista. ¡Qué
cuadro! ¡Maquiavélicos principios!... —Fígaro no dice que
sean buenos, señor moralista; pero tampoco Fígaro hizo
el mundo como es, ni lo ha de enmendar, ni a variar el
corazón humano alcanzarán todas las sentencias posibles.
Las circunstancias hacen a los hombres hábiles lo que ellos
quieren ser, y pueden con los hombres débiles; los hombres
fuertes las hacen a su placer, o tomándolas como vienen,
sábenlas convertir en su provecho. ¿Qué son por consiguiente las circunstancias? Lo mismo que la fortuna: palabras vacías de sentido con que trata el hombre de descargar en seres ideales la responsabilidad de sus desatinos;
las más veces, nada. Casi siempre el talento es todo.

1833.

# EL TROVADOR

*Drama caballeresco, en cinco jornadas, en prosa y verso*

## Su autor, DON ANTONIO GARCÍA GUTIÉRREZ

Con placer cogemos la pluma para analizar esta producción dramática, que tanto promete para lo sucesivo en
quien con ella empieza su carrera literaria, y que tan brillante acogida ha merecido al público de la capital. Síganle
muchas como ella, y los que presumen que abrigamos una
pasión dominante de criticar a toda costa y de morder a
diestro y siniestro, verán cuán presto cae de nuestras manos el látigo que para enderezar tuertos ajenos tenemos
hace tanto tiempo empuñado.

El autor de *El Trovador* se ha presentado en la arena,
nuevo lidiador, sin títulos literarios, sin antecedentes políticos; solo y desconocido, la ha recorrido bizarramente al
son de las preguntas multiplicadas: *¿quién es el nuevo,
quién es el atrevido?*, y la ha recorrido para salir de ella

victorioso; entonces ha alzado la visera, y ha podido alzar-
la con noble orgullo, respondiendo a las diversas interro-
gaciones de los curiosos espectadores. —*Soy hijo del genio, y pertenezco a la aristocracia del talento.* ¡Origen por
cierto bien ilustre, aristocracia que ha de arrollar al fin
todas las demás!

El poeta ha imaginado un asunto fantástisco e ideal,
y ha escogido por vivienda a su invención el siglo XV; hálo
colocado en Aragón, y lo ha enlazado con los disturbios pro-
movidos por el conde de Urgel.

Con respecto al plan no titubearemos en decir que es
rico, valientemente concebido, y atinadamente desenvuelto.
La acción encierra mucho interés, y éste crece por grados
hasta el desenlace.

Sin embargo, no es la pasión dominante del drama el
amor; otra pasión, si menos tierna, no menos terrible y
poderosa, oscurece aquélla. La venganza. No hace mucho
tiempo tuvimos ocasión de repetir que es perjudicial al
efecto teatral la acumulación de tantos medios de mover;
en *El Trovador* constituyen verdaderamente dos acciones
principales, que en todas las partes del drama se revelan
a nuestra vista rivalizando una con otra. Así es que hay
dos exposiciones: una enterándonos del lance concernien-
te a la Gitana, que constituye ella por sí sola una acción
dramática; y otra poniéndonos al corriente del amor de
Manrique, contrarrestado por el del conde, que constituye
otra. Y dos desenlaces; uno que termina con la muerte de
Leonor la parte en que domina el amor; otro que da fin
con la muerte de Manrique a la venganza de la Gitana.

Estas dos acciones dramáticas, no menos interesantes,
no menos terribles una que otra, se hallan, a pesar de la
duplicidad, tan perfectamente enclavijadas, tan dependientes entre sí, que fuera difícil separarlas sin recíproco perjuicio; y en el teatro sólo así daremos siempre carta blanca
a los defectos.

De aquí resultan necesariamente tres caracteres igualmente principales, y en resumen ningún verdadero protagonista, por más que refundiéndose todos esos intereses encontrados en el solo Manrique, pueda éste abrogar-
se el título de la obra exclusivamente. Pero si nos pregun-
tan cuál de los tres caracteres elegimos como más importante, nos veremos embarazados para responder; el amor
hace emprender a Leonor cuanto la pasión más frenética
puede inspirar a una mujer; el olvido de los suyos, el sacrificio de su amor a Dios, el perjurio y el sacrilegio, la
muerte misma. Hasta aquí parece difícil que otro carácter
pueda ser el principal; sin embargo, la Gitana, movida
de la venganza, empieza por quemar su propio hijo, y re-

serva el del conde de Luna para el más espantoso desquite
que de su enemigo puede tomar. Don Manrique mismo, en
fin, movido por su pasión, por el amor filial y por el interés de su causa política, no puede ser más colosal, ni necesitaba el auxilio de otros resortes tan fuertes como el
que le mueve a él para llevarse la atención del público.

¿Diremos al llegar aquí lo que francamente nos parece?
Todos los defectos de que la crítica puede hacer cargo a
*El Trovador* nacen de la poca experiencia dramática del
autor; esto no es hacerle una reconvención, porque pedirle
en la primera obra lo que sólo el tiempo y el uso pueden
dar, sería una injusticia. Ha imaginado un plan vasto, un
plan más bien de novela que de drama, ha inventado una
magnífica novela; pero al reducir a los límites estrechos
del teatro una concepción demasiado amplia, ha tenido que
luchar con la pequeñez del molde.

De aquí el que muchas entradas y salidas estén poco
justificadas; entre otras, la del proscrito Manrique en
Zaragoza y en palacio, en la primera jornada; la del mismo en el convento en la segunda; su introducción en la
celda de Leonor en la tercera, cosa harto difícil en todos
tiempos para que no mereciera una explicación. Tampoco
es natural que el conde don Nuño, que debe desconfiar mucho de las proposiciones tardías de una mujer que ha
preferido el convento a su mano, la deje ir al calabozo del
Trovador, y más cuando no es siquiera portadora de ninguna orden suya para ponerle en libertad, sin la cual seguramente no puede bastar ni servir de nada la concesión
lograda. No somos esclavos de las reglas, creemos que
muchas de las que se han creído necesarias hasta el día
son ridículas en el teatro, donde ningún efecto puede haber sin que se establezca un cambio de concesiones entre
el poeta y el público; pero no consideremos tales justifica-
ciones como reglas, sino como medios seguros de mayor
efecto; evitemos por su medio, siempre que la verosimilitud lo exija, que el espectador tenga que invertir en pedir-
se razón de los sucesos el tiempo que debería atender a las
bellezas del desempeño; y todos convendrán conmigo en que
es indispensable preparar y justificar cuanto pueda dar
lugar a la menor duda.

La exposición es poco ingeniosa, es una escena desata-
da del drama; es más bien un prólogo; citaremos por último, en apoyo de la opinión que hemos emitido acerca de
la inexperiencia dramática, los diálogos mismos; por más
bien escritos que estén, los en prosa semejan diálogos de
novela, que hubieran necesitado más campo, y los en verso
tienen un sabor en general más lírico que dramático: el
diálogo es poco cortado e interrumpido, como convendría

a la rapidez, al delirio de la pasión, a la viveza de la escena.

Pero ¿qué son estos ligeros defectos, y que acaso no lo serán sólo porque a nosotros nos lo parezcan, comparados con las muchas bellezas que encierra *El Trovador*? Las costumbres del tiempo se hallan bien observadas, aunque no quisiéramos ver el *don* prodigado en el siglo xv. Los caracteres sostenidos, y en general maestramente acabadas las jornadas; en algunos efectos teatrales se halla desmentida la inexperiencia que hemos reprochado al autor: citaremos la linda escena que tan bien remata la primera jornada; la cual reúne al mérito que le acabamos de atribuir una valentía y una concisión, un sabor caballeresco y calderoniano difícil de igualar.

De mucho más efecto aún es el fin de la segunda jornada, terminada con la aparición del Trovador a la vuelta de las religiosas: su estancia en la escena durante la ceremonia, la ignorancia en que está de la suerte de su amada, y el cántico lejano acompañado del órgano, son de un efecto maravilloso; y no es menos de alabar la economía con que está escrito el final, donde una sola palabra inútil no se entromete a retardar o debilitar las sensaciones.

Igual mérito tiene el desenlace del drama, que tenemos citado más arriba; y en todos estos pasajes reconocemos un instinto dramático seguro, y que no es fiador de que no será éste el último triunfo del autor.

Como modelos de ternuras y de dulcísima y fácil versificación, citaremos la escena cuarta de la primera jornada entre Leonor y Manrique.

¿Quiérese otro ejemplo de la difícil facilidad de que habla Moratín? Léase el monólogo con que principia la escena cuarta de la jornada tercera, en que el poeta además pinta con maestría la lucha que divide el pecho de Leonor entre su amor y el sacrificio que a Dios acaba de hacer; y el trozo del sueño contado por Manrique en la escena sexta de la cuarta, si bien tiene más de lírico que de dramático.

Diremos en conclusión que el autor, al decidirse a escribir en prosa y en verso su drama, adoptaba voluntariamente una nueva dificultad; es más difícil a un poeta escribir bien en prosa que en verso, porque la armonía del verso está encontrada en el ritmo y la rima, y en la prosa ha de crearla el escritor, pues la prosa tiene también su armonía peculiar; las escenas en prosa tenían el inconveniente de luchar con el sonsonete de las versificadas, de que no deja de prendarse algún tanto el público; y luego necesitaba el poeta desplegar algún tino en la determinación de las que había de escribir en prosa y las que había de versificar, pues que se entiende que no había de hacerlo a diestro y siniestro.

Tanto esta libertad como la frecuente mudanza de escena no las disputaremos a ningún poeta, siempre que sean, como en *El Trovador*, indispensables, naturales y en obsequio del efecto. Sólo quisiéramos que no pasase un año entero entre la primera y la segunda jornada, pues mucho menos tiempo bastaría.

En cuanto a la repartición, hála trastrocado toda, en nuestro entender, una antigua preocupación de bastidores; se cree que el primer galán debe de hacer siempre el primer enamorado, preocupación que fecha desde los tiempos de Naharro, y a la cual debemos en las comedias de nuestro teatro antiguo las indispensables relaciones de dama y galán, sin las cuales no se hubiera representado tiempos atrás comedia ninguna. Sin otro motivo, se ha dado el papel del Trovador al señor Latorre, a quien de ninguna manera convenía, como casi ningún papel tierno y amoroso. Su físico, y la índole de su talento se prestan mejor a los caracteres duros y enérgicos: por tanto, le hubiera convenido más bien el papel del conde don Nuño. Todo lo contrario sucede con el señor Romea, que debiera haber hecho el Trovador.

Por la misma razón, el papel de la Gitana ha estado mal dado. Ésta era la creación más original, más nueva del drama, el carácter más difícil también, y por consiguiente el de mayor lucimiento; si la señora Rodríguez es la primera actriz de estos teatros, ella debiera haberlo hecho, y aunque hubiese estado fea y hubiese parecido vieja, si es que la señora Rodríguez puede parecer nunca fea ni vieja. El carácter de Leonor es de aquellos cuyo éxito está en el papel mismo; no hay más que decirlo: una actriz como la señora Rodríguez debiera despreciar triunfos tan fáciles.

Felicitamos, en fin, de nuevo al autor, y sólo nos resta hacer mención de una novedad introducida por el público en nuestros teatros: los espectadores pidieron a voces que saliese el autor; levantóse el telón, y el modesto ingenio apareció para recoger numerosos *bravos* y nuevas señales de aprobación.

En un país donde la literatura apenas tiene más premio que la gloria, sea ése siquiera lo más lato posible; acostumbrémonos a honrar públicamente el talento, que esa es la primera protección que puede dispensarle un pueblo, y esa la única también que no pueden los gobiernos arrebatarle.

1836.

# HERNANI O EL HONOR CASTELLANO

## *Drama en cinco actos*

No dejaba de ser aventurada la presentación de *Herna-ni* en la escena española: *Hernani*, obra de uno de los mayores poetas que han visto los tiempos, abrió majestuosamente la marcha de la nueva escuela moderna francesa. Pero si en ella Víctor Hugo osa separarse ya a cara descubierta de los antiguos preceptos, no tuvo, sin embargo, por conveniente atropellar todas las convenciones establecidas de muy antiguo en el arte, ni arrojó en ella a manos llenas, como en obras posteriores, los raros atrevimientos a que sólo puede entregarse con buen éxito el talento superior.

Ya hemos dicho repetidas veces que Víctor Hugo es más poeta que autor dramático; no porque el conocimiento del teatro le falte, sino porque su imaginación ahoga casi siempre en él la voz del corazón, y en este sentido le hemos marcado en el teatro un puesto inferior al que nos parece ocupar Alejandro Dumas. *Hernani* hubo de arrebatar al público francés, amigo de declamaciones y de pinceladas históricas; la novedad, la nueva bandera bajo la cual representaba el proscripto de Aragón, le aseguraron un triunfo que todavía no podía atribuirse a un partido literario, a cuya formación iba a contribuir.

Pero en la escena española todos esos motivos de buen éxito no existían; tomando aquí las producciones extranjeras no en el orden en que ven la luz, sino buenamente cuándo y como podemos, *Hernani*, primer paso de la escuela moderna, ha venido a presentarse a nuestra vista después de haber apurado nosotros hasta los excesos de esa escuela. La parsimonia misma de efectos sorprendentes que ha usado el autor nos lo debía hacer parecer pálido y descolorido después de *Lucrecia Borgia* y de *Catalina Howard;* y si se hallaba rescatado este inconveniente con el interés que debía excitar en España un asunto español, también se ocurría la nueva dificultad de ser más necesaria a *Hernani* que a ningún otro drama una buena traducción.

En esto, por fortuna, así Víctor Hugo como el público español han sido felices. Y la traducción que de este célebre drama se nos ha dado es una de las mejores traducciones que en lengua alguna pueden existir. El traductor de las obras de Víctor Hugo ha tratado a *Hernani* con cara predilección, con cariño: un lenguaje purísimo, un sabor castellano, una versificación cuidada, armoniosa, rica, poética, la colocan en el número de las obras literarias de más dificultad y de más mérito. Por las alabanzas justísimas que al señor de Ochoa tributamos, podrá conocer el público que no es comezón de satirizar la que nos anima cuando condenamos sin piedad las traducciones comunes que diariamente se nos dan. Es justicia. Traduzcan los demás como el señor de Ochoa, y nuestra pluma, constantemente imparcial, correrá sobre el papel para el elogio con más placer que para la amarga crítica. Bien hubiéramos querido que el traductor, en vez de explayar más y desleír algunas escenas, hubiera tratado de reducirlas a los menos límites posibles, sin alterar el sentido; pero conocemos que el respeto debido al grave poeta le habrá contenido, y realmente esto no nos sorprende en un traductor también poeta. Es difícil, traduciendo a Víctor Hugo, tomarse libertades. Por lo demás, concluiremos el elogio de esta traducción diciendo que escenas enteras hay escritas de tal modo, que no las desdeñaría Calderón mismo. Hace muchos años que no habíamos visto ninguna que tanto nos satisficiese, si se exceptúa la de *Los hijos de Eduardo,* hecha por don Manuel Bretón de los Herreros, también con esmero y tino singulares.

No describiremos el argumento de *Hernani.* Los dramas vulgares, cuyo mérito existe en la intriga, los cuentecitos caseros que suelen darnos a cuenta de comedias en nuestro teatro, consienten esa costumbre periodística. Haciéndolo también con *Hernani,* haríamos una injusticia al autor y a la obra; porque su mérito principal no estriba en que se case la dama con el galán, ni en que se presenten a la boda más o menos obstáculos dramáticos. El mérito de *Hernani* está en la concepción misma de la obra; en la pintura de Carlos I de España, mozalbete seductor de doncellas, rey galante en sus primeros años, y de Carlos V de Alemania, emperador ya de romanos, y desalojando del pecho intereses mezquinos y amorcillos de calavera, para dejar lugar en él a toda la ambición humana, a la grandeza de la misión que la Providencia le destina a llenar en el mundo. Todos los demás son medios que contribuyen a este grande efecto, que es el que más resalta y ocupa, a despecho del título, de los sermones nestorianos del viejo don Rui-Gómez, de la posición violenta de Hernani y de su desdichado amor con doña Sol.

El verdadero drama parece concluirse con el cuarto acto, donde don Carlos V, ya emperador, renuncia a la hermosa doña Sol, y la da por esposa al rebelde Hernani, devolviéndole sus títulos y honores. El poeta, sin embargo, dominado de la primitiva idea de su obra, y preocupado del deseo de pintar su *honor castellano*, fantástico y exagerado como él lo entiende, se lanza a dar un quinto acto, fundado en la venganza del viejo don Rui-Gómez, quien, dueño por un juramento de la vida de Hernani, viene a turbar la alegría del sarao y la felicidad de los novios, tañendo una bocina, a cuyo sonido le juró Hernani poner su vida a su disposición en cualquier situación en que viniese a reclamarla. El viejo inexorable y celoso tañe cada vez más fuerte, y consigue matar a trompetazos el amor más puro y el porvenir más lisonjero de dos amantes felices. Ideas son éstas y costumbres que contrastan demasiado con las nuestras.

En el siglo en que Chateaubriand ha escrito: "Comme on compte l'âge des vieux cerfs aux branches de leurs ramures, on peut compter les places d'un homme par le nombre de ses serments", en ese siglo, presentarnos el juramento respetado y cumplido hasta la muerte, es cosa realmente que hace morir de risa al espectador más grave. Hernani pudiera haber alegado las circunstancias, o cualquiera otra razón de la misma especie; pero Hernani se contenta con echarse a pechos un frasquete del más rico veneno conocido, con lo cual el honor castellano, antiguo, queda en su punto, el público afligido, y el viejo contento, y repitiendo al ver los dos cadáveres: *Muerto, muerta.*

Este final desgraciado, que no podía presumirse en el transcurso del drama, poco preparado, y fundado en una cosa tal como cumplir un juramento, ha sido la causa de que no fuese coronado *Hernani* de aplausos, como parecía hacerlo esperar el placer con que los actos anteriores habían sido oídos.

1836.

## MARGARITA DE BORGOÑA

### *Drama nuevo en cinco actos*

La última vez que tuvimos que hablar del célebre autor de esta composición dramática insistimos en la ventaja que a sus contemporáneos y rivales lleva en el artificio de sus comedias, en el interés que sabe darles, en el profundo conocimiento que tiene del corazón humano y de los efectos teatrales.

Si a alguno pudiera haberle quedado duda acerca de tales calificaciones, la representación de *La Tour de Nesle*, vertida al castellano con algunas alteraciones del original y bajo el título de *Margarita de Borgoña*, las podría desvanecer completamente, porque esa es la obra donde Alejandro Dumas hace más gala y ostentación de aquellas dotes.

Asunto medio histórico, medio fantástico, enlazado con las costumbres de una época fecunda de argumentos de gusto moderno, el autor le ha combinado a su manera, más bien, a nuestro corto entender, con la idea de producir efecto en el teatro, que con la de pintar carácter ni pasión alguna. Menos aún se podría inferir que tuviese un objeto moral. Una intriga fuertemente trabada, efectos prodigiosos artificiosamente preparados, novedad en algunos resortes dramáticos, osadía en las formas, sacudidas violentas y dolorosas para el espectador; he aquí la idea del autor en *La Tour de Nesle*. Idea llevada a cabo de una manera admirable, y que no permite al auditorio salir un momento de la sala mientras no ve concluída la acción y satisfecha su curiosidad; pero idea al mismo tiempo que constituye la inferioridad de esta obra con respecto a las demás del autor. Es lo que llaman los franceses un *tour de force*, una muestra del poder del ingenio, un ejemplo de lo que se puede imaginar y hacer en el teatro, pero sin resultado, sin consecuencia, como el salto mortal de un atleta, que una vez visto y admirado, nada deja en el fondo del alma, sino el cansancio angustioso que se tiene después de ver un gran peligro eludido. En *Enrique III y su corte*, del mismo autor, predomina un objeto histórico; en *Antony*, una intención política casi, y por lo menos se revela allí un sistema social nuevo; es un ariete dirigido contra la actual organización de la sociedad, contra las ideas viejas; es una invasión en el porvenir, más o menos verdadera y exagerada como analizándolo tuvimos ocasión de decir; pero, en fin, tiene una importancia muy trascendental. En *Catherine Howard* reina el deseo de pintar una pasión, la ambición, que como toda pasión cuando se halla elevada al grado de vehemencia posible absorbe todas las facultades del ser, y crece en el corazón a costa de todas las demás.

Pero en *La Tour de Nesle*, lo repetimos, no hay más importancia, ni más mira profunda que la de desenvolver una intriga aterradora, por medios aún más aterradores. Supone más ingenio, pero menos talento; más conocimiento del hombre que concurre al teatro, que del hombre que vive en el mundo. Por eso nosotros sentimos que los traductores, pues parece que han sido dos, hayan creído poder alterar el título, porque siendo éste tan vago e indeterminado como su autor se lo ha puesto, a nada le comprometía; al paso que trasladar toda la importancia del drama y hacerla recaer sobre un personaje histórico como *Margarita de Borgoña*, es comprometer a Alejandro Dumas a deberes que él mismo no se ha impuesto.

Los demás cortes y las otras alteraciones que han sido hechas en *La Tour de Nesle*, al trasladarla a la escena española, parecen haber sido concesiones hechas a nuestras costumbres y a la delicadeza de nuestro público. Si esto resulta en disfavor del drama y del autor, que necesita un público hecho a su manera y educado expresamente para él, o en disfavor del público español, esto sólo los traductores que se han erigido jueces, prejuzgando la cuestión, se atreverán a decirlo. Nosotros permanecemos en la mayor duda, y no quisiéramos ofender ni a nuestro público, ni al célebre Dumas.

Difícil, pesado, inútil, nos parece presentar en fila las escenas de *La Tour de Nesle*, ni detallar su argumento. Suponiendo, pues, que el que nos lea ha visto o leído el drama, y que el que no lo ha visto ni leído, no ha de leer nuestro artículo, nos ahorraremos esa labor insípida, y que nunca favorece a la composición en cuestión, porque tales análisis periodísticos nos producen el mismo efecto que produciría un amante o un enemigo de una mujer que para hacer formar una idea de su belleza o de sus defectos enseñase a las gentes su esqueleto.

Vamos a combatir de paso algunas de las inculpaciones hechas a estos dramas y al género a que pertenecen, lo cual no haremos sin decir antes que el hombre es exclusivo, generalmente hablando, en sus aficiones, de donde resulta que todo lo exagera, y que rara vez se coloca en el punto crítico y circunscrito de la verdad. Inferir de la languidez de las comedias clásicas de la escuela antigua que es forzoso para animar una comedia ponerle un asesinato en cada escena, es un extremo de los horrores prodigados en *La Tour de Nesle;* inferir que sólo son buenas las comedias que pintan lenta y fríamente las pequeñeces de un enamorado o de un pródigo, es otro extremo. Tan mal nos parece a nosotros una comedia lánguida, a causa de los escrúpulos de una escuela, como un tejido de horrores, no menos inverosímil, hijo de una completa despreocupación. Porque, al fin, ¿cuál es el objeto del arte? ¡Retratar a la naturaleza! Pues bien, ni la naturaleza es tan comedida y corta de genio y de recursos, tan moderada y encajonada en reglas como la vistieron los clásicos, ni es tan desordenada y violenta como los románticos la disfrazan. Pero si la avaricia, considerada bajo su aspecto más sutil y de menos trascendencia, puede hacer reír, y si la pintura de un avaro puesto en ridículo por sus mezquindades puede ser la verdad, y corregir avergonzando, hágase en buen hora de ese asunto una comedia. Verdad será, y será la naturaleza; y cumplirá con un objeto, el de retratar a los hombres. Mas si al propio tiempo esa misma avaricia desarrollada y puesta en situaciones particulares deja de ser ridícula, y mirado bajo otro aspecto pasa a ser violenta, y arma la mano del hombre con un puñal, y pintada así puede conmover, y presenta al hombre los riesgos de sucumbir a semejante pasión, y puede ser también la verdad y corregir horrorizando, hágase en buen hora un drama fúnebre y lacrimoso. Verdad será, y será la naturaleza, y cumplirá con el propio objeto de retratar a los hombres.

Porque, tengamos lógica y seamos consecuentes: si la pintura de un avaro que hace reír corrige según los clásicos a los avaros, ¿por qué la pintura de un asesino que hace temblar no ha de corregir a los asesinos? ¿No es inmoral retratar a un jugador? ¡Y es inmoral retratar a un homicida!

Tales inculpaciones son hijas de la rutina. La naturaleza es el objeto del arte, lo repetimos; si es tan cierto que el hombre mata y que juega, no vemos una razón para que el homicidio salga de la jurisdicción del teatro. El deber, pues, del poeta no es el de separar estos o aquellos asuntos, sino escoger el que mejor le parezca, y ése presentarle con verdad. Los medios, los verosímiles, y nosotros sólo recusamos la inverosimilitud: en la inverosimilitud entra la eterna conversación, el sonsonete de máximas y sentencias de la antigua comedia clásica, en la cual nadie se propasa, en la que nadie siente fuertemente y con vehemencia, porque eso es mentira; y entra también la acumulación de crímenes, la dureza y la calma de un criminal, porque eso también es mentira, y no hay ser, por feroz que sea, que no tenga un rincón en su existencia reservado para un sentimiento dulce.

Tal es la mezcla de la naturaleza, tal debe ser la mezcla del arte que tiende a representarla. Los ascos que muchas gentes hacen a los horrores del teatro semejan a los que hacen a los toros multitud de personas que vemos sin embargo en ellos. La prueba es que los señores clásicos que reconvienen a los románticos de amigos de crímenes, no se acuerdan de que su teatro clásico es un puro crimen, porque, al fin, ¿quién es Medea, y quién Edipo? ¿Qué gente es toda la familia de Atreo? ¿Dónde se pueden encontrar criminales más feroces, dónde los envenenadores y los asesinos con más frecuencia que en las familias de reyes y príncipes, monopolizadoras exclusivas de la tragedia clásica?

*¡Oh! No se puede venir al teatro. ¡La Tour de Nesle!*
*¡El incesto, el adulterio, el parricidio!* ¿Y qué es Edipo,
y Jocasta? ¿Qué es Fedra? ¿Qué es Nerón sino un enve-
nenador, sino la Lucrecia Borgia de Racine y del teatro
clásico?

Parcialidad nada más y miseria en los juicios de los
hombres. Cuando esos horrores no son verdad, entonces
los recusaremos; cuando estén mal manejados, mal presentados, entonces daremos la razón a los enemigos del
género; entretanto, nosotros admitimos los géneros todos
y todas las escuelas.

Por otra parte, hemos dicho algunas veces dos verdades, que repetiremos. Primera, que la literatura no puede
ser nunca sino la expresión de la época; volvamos la
vista a la época, y abracemos la historia de Europa de
cuarenta años a esta parte. ¿Ha sido el género romántico
y sangriento el que ha hecho las revoluciones, o las revoluciones las que han traído el género romántico y sangriento? Que españoles nos digan en el día que los horrores, que la sangre no está en la naturaleza, que nos
añadan que el teatro nos puede desmoralizar, eso causa
risa; pero aquella risa homérica, aquella risa intermi-
nable de los dioses de la *Ilíada.* Segunda verdad. Que
el hombre no es animal de escarmiento, y por tanto, que
el teatro tiene poquísima influencia en la moral pública; no sólo no la forma, sino que sigue él paso a paso su
impulso. Lo que llaman moral pública tiene más hondas
causas; es decir, que el teatro forma la moral pública,
y no ésta el teatro, es invertir las cosas, es entenderlas
al revés, es lo mismo que decir que un hombre cavila
mucho porque es calvo, en vez de decir que es calvo porque cavila mucho. Cuando nos enseñen una persona que
se haya vuelto santa de resultas de una comedia de Moratín, nosotros enseñaremos un hombre que haya dejado
de ser asesino por haber asistido a un drama romántico.
¿Pervierte la moral pública representar a un particular
que asesina llevado de una pasión en un drama, y no
pervierte la moral pública un rey asesinando a su hermano en una tragedia? El hijo de Lucrecia es inmoral;
pero es muy moral Orestes, y más moral todavía Agamenón matando a su hija, los hijos de Edipo matándose
uno a otro, etc., etc. ¿Y en la comedia clásica misma, en
Molière, en Moratín, hay otra cosa que hijos que se bur-
lan, que se mofan de sus padres, mujeres que buscan las
vueltas a sus maridos puestos en ridículo porque quieren
conservar la virtud de sus mujeres, tramposos entronizados,
y acreedores escarnecidos? Todo eso es muy moral.

Seríamos injustos si antes de dar fin a este artículo no dijéramos que la representación de *La Tour de Nesle*, que tales reflexiones nos ha sugerido, ha sido de las mejores que en Madrid hemos visto.

1836.

# FELIPE II

## *Drama nuevo, en cinco actos y siete cuadros*

El teatro envejece diariamente y caduca, no en España sólo, donde la existencia parásita que arrastra hace años le hace infinitamente subalterno, sino en la Europa entera, a cuya civilización moderna ha debido una vida brillante por largos siglos. Verdad es que esta diversión se remonta en la antigüedad a los tiempos oscuros de la tradición; verdad es que su existencia, más o menos perfeccionada, en diversos países y en distintos tiempos parece probar que es inherente a la naturaleza humana. Vestigios de representaciones informes se han encontrado en regiones que no podían haber recibido influencia ninguna de la Europa; sabido es que en la China, en ese trozo aislado del mundo, cuya civilización ha seguido un rumbo enteramente diverso, las tradiciones religiosas y los hechos heroicos llenan tres y cuatro días, semanas enteras a veces, con una representación dramática de solemnidad sin igual, puesto que conserva allí constantemente el carácter de una fiesta nacional, y dispensada al pueblo por el legislador. Esto no obstante, insistimos en la idea enunciada de que el teatro caduca, y acaso no será necesario que pasen siglos para verle desaparecer completamente del mundo. La larga lucha de principios que se debate hace años en Europa, escogiendo hoy un palanque para la pelea, mañana otro, puede ser considerada por los políticos como una cuestión de forma de gobierno pasajera, y como efecto de esa rotación periódica a que los sucesos del mundo están sujetos. Pero a los ojos del filósofo observador es más honda la explicación de los fenómenos políticos; no son meras cuestiones de derecho natural y de gentes; son las convulsiones de la agonía de una civilización usada y expirante, que debe desaparecer como las que le han precedido. Es la resistencia de los intereses y las costumbres de un gran período defendiendo el terreno que poseyeron, contra la grande innovación, contra la invasión de un progreso inmenso, de un trastorno radical. La Europa, representante y defensora de esa civilización vieja, está destinada a perecer con ella, y a ceder la primacía, en un plazo acaso no muy remoto, a un mundo nuevo, sacados de las aguas por una mano atrevida hace tres siglos, y cuya misión es reemplazar un gran principio con otro gran principio; a un nuevo mundo que aparece también agitado por convulsiones, pero en el cual no son éstas los síntomas del anonadamiento, sino los peligros y la inquietud de la infancia. La Europa se presenta en la lucha como un guerrero cansado, guardando la defensiva contra el principio invasor, vestida de harapos de distintas épocas, guarnecida de armas melladas, coronada con las antiguas y medio derruídas almenas feudales, protegiendo despojos y tesoros adquiridos, ante un adversario desnudo, pero ambicioso, sin tradición, sin pasado, pero con porvenir, que no cuenta glorias, sino que tiene que adquirirlas; y en esta lucha, la ley de la naturaleza tiene dispuesto que el viejo ceda ante el joven, que el día de hoy muera a los primeros albores del día de mañana, sin más intervalo que el de una noche, oscura, tempestuosa, en la cual estamos en la actualidad luchando en vano con la deshecha borrasca que irá dando al viento vela tras vela, y desmantelando la barca combatida palo por palo.

La transición es violenta, y las sacudidas que experimentamos no son otra cosa que su expresión; de ellas participa el teatro, intérprete de una organización social que se desmorona, y en la cual hechos y creencias, leyes y costumbres, intereses y diversiones, todo está dicho, todo está experimentado, todo está usado. La gran disputa del clasicismo y del romanticismo no es otra cosa que el resultado de ese desasosiego mortal que fatiga al mundo antiguo. Estúdiese un momento la marcha del teatro, desde la carreta informe de Esquilo hasta las representaciones magníficas de Mr. Veron, desde la sátiras dialogadas de Aristófanes hasta las concepciones complicadas de Víctor Hugo, y es imposible negarse al convencimiento de que el teatro no ha hecho nunca más que seguir, y por lo regular de lejos, las huellas de la civilización. Los artificios de un esclavo y las disputas de los filósofos en Grecia, los lances de las cortesanas en Roma, las ridiculeces de las marisabidillas y de los marqueses en el siglo de Luis XIV, las aventuras de capa y espada en nuestro siglo de oro, las fantásticas melancolías de la Alemania, las comedias de circunstancias y los dramas políticos en la moderna Francia, los horrores y los crímenes poetizados en nuestra época de crímenes y de horrores, lo prueba hasta la evidencia; y la pretensión de los clásicos que quieren detener y estancar el teatro cuando las revoluciones marchan, es

un delirio que sólo podría verificarse si se diera en la naturaleza el desnivel. Pero una unidad admirable lo encadena
todo, y cuando los románticos han innovado, no es porque
de pensado y por un fantástico capricho hayan querido in-
novar, sino porque son hombres de nuestra época; no
sólo no han dado ningún impulso nuevo, sino que le han
recibido acaso sin saberlo. Víctor Hugo y Dumas han
querido y creído ser originales, cuando no eran más que
unos plagiarios de la política, porque la literatura es y
será siempre no una causa, sino un efecto. La literatura
no puede ser el bautista; harto hará con ser el apóstol.

Hechas estas reflexiones, confesamos que participamos
de la indiferencia con que el público mira al teatro; como
un niño vuelve de vez en cuando a ocuparse, aunque de
mala gana, de un juguete, ya roto y gastado, ínterin se
le presenta otro nuevo que absorba toda su curiosidad,
el público vuelve de vez en cuando al teatro pero a con-
firmarse siempre en su desengaño. El público, al levantarse
el telón, está ya como el autor en el secreto de lo que le
van a decir, y la vida del teatro es más bien que vida un
movimiento galvánico comunicado a un cadáver.

He aquí la razón por qué la ópera ha invadido el teatro
cómico, y le ha vencido en todas partes; porque hasta en
el baile se ha buscado una importancia dramatizándolo;
he aquí la razón por qué no hay teatro que se sostenga
sin el aparato y el lujo de las decoraciones; porque no
se concurre a él con la fe y el entusiasmo que lo suplían
todo en los tiempos de su apogeo. Los sentidos quieren
llenar un vacío que la imaginación no alcanza a llenar,
y no teniendo el espectáculo nada que decirle ya al entendimiento que éste no sepa, trata de sorprender a los
ojos y a los oídos, para embotar el pensamiento.

Después de esta meditación, ¿qué diremos de *Felipe II*?
Que es una astilla más, arrojada en la hoguera que se
apaga, y por desgracia no es más que una astilla, no
porque le neguemos mérito. *Felipe II* es obra de un joven
que ya se ha dado a conocer con un ensayo menos feliz;
y la distancia que entre la primera y la segunda obra
existe es tal, que realmente se puede decir que hasta la
representación de *Felipe II* el poeta no ha debido llamarse
autor dramático.

Una acción sencilla y un argumento fácil y descargado
de episodios prueban buen gusto y juicio exacto. Pero
si no hay episodios que embaracen la acción, haylos en
el diálogo; superabundancias verdaderas, en que el autor
ha creído deber ostentar el estudio que de la época ha
hecho.

Pero aquí le daremos un consejo, que creerá tanto más imparcial cuanto que empezamos por confesarle que nosotros le recibimos en cierta ocasión de uno de nuestros primeros literatos, a propósito de una mala oda que el diablo nos tentó a publicar. A saber, que el saber mucho no ha de ser para decirlo todo, sino para saber lo que se ha de decir. Descargado el drama de multitud de alusiones históricas, minuciosas e inútiles, la acción hubiera caminado más desembarazada, y el drama hubiera parecido más lleno de vida.

Los caracteres están bien sostenidos, y si no están dibujados con gran profundidad, hay por lo menos rasgos muy felices y contrastes bien entendidos. Hubiéramos deseado que el final hubiese sido más cuidado, porque, siendo una idea delicada, es lástima que su misma sutileza y la poca preparación hayan desvirtuado su mérito, y dejado al espectador en la duda del efecto que debía producirle. Donde hay efecto verdadero, el espectador cede sin consultarse a él, y prorrumpe en manifestaciones exteriores. Para que la confesión del amor de la reina hubiese sido natural a la vista de su marido, era preciso que hubiese sido provocada por la exaltación hija de un peligro más inminente que aquel en que se halla el príncipe don Carlos. Porque no basta que el espectador sepa que va a morir; es preciso que los sentidos se lo prueben algún tanto.

El estilo es la parte mejor del drama, y su versificación fácil y armoniosa anuncia un poeta, al cual no arredrará nunca la dificultad de expresar, y expresar bien sus sentimientos.

1836.

# DE LAS TRADUCCIONES

*De la introducción del* vaudeville *francés en el teatro* español. — La viuda y el seminarista. — Los guantes amarillos: *piezas nuevas en un acto.*

Varias cosas se necesitan para traducir del francés al castellano una comedia. Primera, saber lo que son comedias; segunda, conocer el teatro y el público francés; tercera, conocer el teatro y el público español; cuarta, saber leer el francés, y quinta, saber escribir el castellano. Todo eso se necesita, y algo más, para traducir una comedia, se entiende, bien; porque para traducirla mal, no se necesita más que atrevimiento y diccionario: por lo regular, el que tiene que servirse del segundo, no anda escaso del primero.

Sabiendo todas estas cosas, no se ignora que el gusto en teatros es variable; que en tanto hay efectos teatrales, en cuanto se establece entre el autor y el espectador una comunidad de afectos y de sensaciones; que de diversidad de costumbres nace la diferente expresión de las ideas; que lo que en un país y en una lengua es una chanza llena de sal ática, puede llegar a ser en otros una necedad vacía de sentido; que un carácter nuevo en Francia puede ser viejo en España; no se ignora, en fin, que el traducir en materias de teatro casi nunca es interpretar; es buscar el equivalente, no de las palabras, sino de las situaciones. Traducir bien una comedia es adoptar una idea y un plan ajenos que estén en relación con las costumbres del país a que se traduce, y expresarlos y dialogarlos como si escribiera originalmente: de donde se infiere que por lo regular no puede traducir bien comedias quien no es capaz de escribirlas originales. Lo demás es ser un truchimán, sentarse en el agujero del apuntador, y decirle al público español: *Dice Mr. Scribe*, etcétera, etc.

Esto con respecto a la comedia; por lo que hace al drama histórico, a la tragedia, o cualquiera otra composición dramática cuya base sea un hecho heroico, o una pasión, o un carácter célebre conocido, éstos ya son cuadros igualmente presentables en todos los países. La historia es el dominio de todas las lenguas; en ese caso basta tener un alma bien templada y gusto literario ejercitado para comprender las bellezas del original; no se necesita ser Víctor Hugo para comprender a Víctor Hugo, pero es preciso ser poeta para traducir bien a un poeta.

La tarea, pues, del traductor no es tan fácil como a todos les parece, y por eso es tan difícil hallar buenos traductores; porque cuando un hombre se halla con los elementos para serlo bueno, es raro que quiera invertir tanto trabajo sólo en hacer resaltar la gloria de otro. Entonces es preciso que sea muy perezoso para no inventar, o que su país tenga establecida muy poca diferencia entre el premio de una obra original y el de una traducción, que es precisamente lo que entre nosotros sucede.

Nuestro teatro moderno no carece de buenos traductores. Entre todos se distingue Moratín: nótese como en *El médico a palos* españoliza una comedia, producción no sólo de otro país, pero hasta de una época muy anterior: hace con ella el mismo trabajo que Molière había hecho con Terencio y Plauto, y que Plauto y Terencio

habían hecho sobre Menandro. No era Marchena tan superior en este trabajo, porque no era Marchena poeta cómico, pero merece un lugar distinguido entre los traductores. Gorostiza fué menos delicado, si tan buen traductor,
porque alcanzó un tiempo en que era más fácil revestirse
de galas ajenas, y así, sin que queramos decir que siempre fué plagiario, muchas veces no vaciló en titular originales sus piraterías.

Posteriormente la traducción fué entre nosotros una necesidad: careciendo de suficiente número de composiciones
originales, hubo de abrirse la puerta al mercado extranjero, y multitud de truchimanes, con el Taboada en la
mano y valor en el corazón, se lanzaron a la escena española.

El *vaudeville*, género de composición dramática pura-
mente francés, fué una mina inagotable: género complexo,
verdadero *melodrama* en miniatura, así participa de la
ópera como de la comedia; hijo de las costumbres francesas, bástale su diálogo diestramente manejado y erizado
de puntas epigramáticas; esto, y algunos casos monótonos
que giran casi siempre sobre temas semejantes, bastan a
adornar una idea estéril que pocas veces produce más
de una o dos escenas medianamente cómicas. El pueblo
francés, tan cantor como mal músico, se paga de eso, y
tiene razón, porque no le da más importancia que la que
tiene y porque, rico el teatro de cómicos excelentes, el juego
mímico y la perfección del arte prestan interés del otro
lado de los Pirineos a la composición más desnuda de mérito y de originalidad...

Pero aquí donde el *vaudeville* empieza por perder la mitad
de su ser, es decir, la parte música; aquí donde no es la expresión de las costumbres; aquí donde el público ha menester de composiciones más llenas, de más ingenio y enredo, su
introducción debía de ser muy arriesgada, y sólo se le podía
admitir en cuanto a comedia y a cuenta de comedias. Son
sólo admisibles, pues, en la escena española aquellos *vau-
devilles* que giran sobre un argumento y un enredo cómico
de algún bulto y aquellos en que queda material para llenar una pieza en un acto aun después de suprimida la música, y eso sin darle grande importancia, sin tratar de llenar
con ellos una función entera. La empresa que todavía tiene los teatros emprendió esto, y trató de sustituirles a nuestros sainetes piezas verdaderamente cómicas nacionales y
populares, pero cuya muerte era próxima desde que los
ingenios se desdeñaban de componerlas, y que por lo repe-
tidos y sabidos que están ya el público apenas podían
ser ya de utilidad. Otra mira se llevó en esto: los sainetes
tienen el inconveniente de halagar casi siempre las costum-

res que van a ser sus compañeros, sin que sus quejas puedan salir de aquel recinto, el detenido exclama: "Estoy fuera de la sociedad; desde hoy *mi ley es mi fuerza o la que yo me forje aquí.*" He aquí el resultado del desorden de las cárceles. ¿Con qué derecho la sociedad exige nada de los encarcelados, a quienes retira su protección? ¿Con qué derecho se sigue erigiendo en juez suyo, siendo los delitos cometidos dentro de aquel Argel efecto de su mismo abandono?

Pero dos hombres existían allí; dos barateros, dos seres que se creían con derecho a imponer leyes a los demás y a retirar del juego de sus compañeros un fondo piratesco; dos hombres que cobraban el barato. Cruzáronse estos dos hombres de palabras, y uno de ellos fué metido en un calabozo por el alcaide, ley de aquella colonia. A su salida, el castigado encuentra injusto que su compañero haya cobrado él solo el barato durante su ausencia, y reclama una parte en el tráfico. El baratero advenedizo quiere quitar del puesto al baratero en posesión; éste defiende su derecho, y sacando de la faltriquera dos navajas: *¿Quieres parte?* —le dice—, *pues gánala.* He aquí al hombre fuera de la sociedad, al hombre primitivo que confía su derecho a su brazo.

El día va a expirar y los detenidos acaban de pasar al patio inmediato, donde entonan diariamente una salve a la Madre del Redentor, salve sublime desde fuera, impudente y burlesca sobre el labio del que la entona, y que por bajo la parodia. Al son del religioso cántico los dos hombres defienden su derecho y en leal pelea se acometen y se estrechan. Uno de ellos no debía oír acabar la salve; un segundo transcurre apenas y con el último acento del cántico llega a los pies del Altísimo el alma de un baratero.

La sociedad entonces acude y dice al baratero vivo: Yo te lancé de mi seno, yo te retiré mi amparo, yo te castigo antes de juzgarte con esa cárcel inmunda que te doy; ahí tolero tu juego y tu barato, porque tu juego y tu barato no molestan mi sueño; pero de resultas de ese juego y ese barato tienes una disputa que yo no puedo ni quiero dirimir, y me vienen a despertar con el ruido de un cuerpo que has derribado al suelo; me avisan de que ese cuerpo de que en vida yo no hice más caso que de ti puede contagiarme con su putrefacción, y por ende mando que el cuerpo se entierre, y el tuyo con él, porque infringiste mis leyes matando a otro hombre, aun entonces que mis leyes no te protegían. Porque mis leyes, baratero, alcanzan con la pena hasta a aquellos a quienes no alcanzan con la protección. Ellas renuncian a amparar, pero no a vengar; lo bueno de ellas, baratero, es para mí; lo malo, para ti; porque yo tengo jueces para ti y tú no los tienes para mí; yo tengo alguaciles para ti y tú no los tienes para mí; yo tengo, en fin, cárceles y tengo un verdugo para ti y tú no los tienes para mí. Por eso yo castigo tu homicidio y tú no puedes castigar mi negligencia y mi falta de amparo, que solos fueron de él ocasión.

Y el baratero: ¿Hasta qué punto, sociedad, tienes derecho sobre mí? Ignoro si mi vida es mía; han dicho hombres entendidos que mi vida no es mía, y por la religión no puedo disponer de ella; pero si no es mía siquiera, ¿cómo será tuya? Y si es más mía que tuya, ¿en qué pude ofender a la sociedad disponiendo de ella como otro hombre de la suya, de común acuerdo los dos, sin perjuicio de tercero y sin llamar a nadie en nuestra común cuestión?

Y la sociedad: Algún día, baratero, tendrás razón, pero por el pronto te ahorcaré, porque no es llegado ese día en que tendrás razón y en que queden el suicidio y el duelo fuera de mi jurisdicción; en el día, la sociedad a que perteneces no puede regirse sino por la ley vigente; ¿por qué no has aguardado para batirte en duelo a que la ley estuviese derogada? Por ahora, muere, baratero, porque tengo establecida una pragmática que así lo dispone.

Una luna no ha transcurrido todavía que ha visto sofocado por mi mano a otro hombre por haber vengado un honor que la ley no alcanzaba a vengar...

Y el baratero: ¿Y cuántas lunas transcurren, sociedad, que ven paseando en el Prado a otros hombres que incurrieron en igual error que ese que me citas, y yo...?

Y la sociedad: Eso te enseñará que ya que no pudieses aguardar para batirte a que yo derogase mi ley, cesando de intervenir en las disidencias individuales que no atacan a la corporación, debiste aguardar a lo menos a ser opulento o siquiera caballero... o aprender en tanto a eludir mi ley...

Y el baratero: ¿Y la igualdad ante la ley, sociedad...?

Y la sociedad: Hombre del pueblo, la igualdad ante la ley existirá cuando tú y tus semejantes la conquistéis; cuando yo sea la verdadera sociedad y entre en mi composición el elemento popular; llámanme ahora sociedad y cuerpo pero soy un cuerpo truncado; ¿no ves que me falta el pueblo?; ¿no ves que ando sobre él en vez de andar con él?; ¿no ves que me falta el alma, que es la inteligencia del ser, y que sólo puede resultar del completo y armonía de lo que tengo y de lo que me falta cuando lo llegue a reunir todo?; ¿no ves que no soy la sociedad, sino un monstruo de sociedad? ¿Y de qué te quejas, pueblo? ¿No renuncias a tus derechos en el acto de no reclamarlos? ¿No lo autorizas todo sufriéndolo todo?

Y el baratero: Porque no sé todavía que hago parte de ti, ¡oh sociedad!, porque no comprendo...

Y la sociedad: Pues date prisa a comprender y a saber quién eres y lo que puedes, y entretanto date prisa a dejarte ahogar, y en garrote vil, porque eres pueblo y porque no comprendes.

Y el baratero: Mi día llegará, ¡oh falsa sociedad, oh sociedad incompleta y usurpadora!, y llegará más pronto por tu culpa; porque mi cadáver será un libro y un libro ese garrote vil, donde los míos, que ahora le miran estúpidamente sin comprenderle, aprenderán a leer. ¡Hágase en el ínterin la voluntad de la fuerza; ahorca a los plebeyos que se baten en duelo, colma de honores a los señores que se baten en duelo, y en tanto que el pueblo cobra su barato, cobra tú el tuyo y date prisa!

Y el baratero debía morir, porque la ley es terminante, y con el baratero cuantos barateros se baten en duelo, porque la ley es vigente y quien infringe la ley merece la pena, ¡y quien tal hizo que tal pague!

Y el baratero murió, y en cuanto a él, satisfizo la vindicta pública. Pero el pueblo no ve, el pueblo no sabe ver; el pueblo no comprende, el pueblo no sabe comprender, y como su día no es llegado, el silencio del pueblo acató con respeto a la justicia de la que se llama su sociedad, y la sociedad siguió, y siguieron con ella los duelos, y siguió vigente la ley, y barateros la burlarán, porque no serán barateros de la cárcel ni barateros del pueblo, aunque cobren el barato del pueblo.

1836.


# LA NOCHEBUENA DE 1836

## YO Y MI CRIADO (1)

### *Delirio filosófico*

El número 24 me es fatal: si tuviera que probarlo diría que en día 24 nací. Doce veces al año amanece, sin embargo, un día 24; soy supersticioso porque el corazón del hombre necesita creer algo, y cree mentiras cuando no encuentra verdades que creer; sin duda, por esa razón creen los amantes, los casados y los pueblos a sus ídolos, a sus

---

(1) Por esta vez sacrifico la urbanidad a la verdad. Francamente, creo que valgo más que mi criado: si así no fuese, le serviría yo a él. En esto soy al revés del divino orador que dice *Cuadra y Yo*.

consortes y a sus gobiernos; y una de mis supersticiones consiste en creer que no puede haber para mí un día 24 bueno. El día 23 es siempre en mi calendario víspera de desgracia, y a imitación de aquel jefe de policía ruso que mandaba tener prontas las bombas las vísperas de incendios, así yo desde el 23 me prevengo para el siguiente día de sufrimiento y de resignación, y en dando las doce ni tomo vaso en mi mano por no romperle, ni apunto carta por no perderla, ni enamoro a mujer porque no me diga que sí, pues en punto a amores tengo otra superstición: imagino que la mayor desgracia que a un hombre le puede suceder es que una mujer le diga que le quiere. Si no la cree, es un tormento, y si la cree... ¡Bienaventurado aquel a quien la mujer dice *no quiero*, porque ése a lo menos oye la verdad!

El último día 23 del año 1836 acababa de expirar en la muestra de mi péndola, y consecuente en mis principios supersticiosos, ya estaba yo agachado esperando el aguacero y sin poder conciliar el sueño. Así pasé las horas de la noche, más largas para el triste desvelado que una guerra civil, hasta que por fin la mañana vino con paso de intervención, es decir, lentísimamente, a teñir de púrpura y rosa las cortinas de mi estancia.

El día anterior había sido hermoso, y no sé por qué me daba el corazón que el día 24 había de ser *día de agua*. Fué peor todavía: amaneció nevando. Miré el termómetro y marcaba muchos grados bajo cero: como el crédito del Estado.

Resuelto a no moverme porque tuviera que hacerlo todo la suerte este mes, incliné la frente, cargada como el cielo de nubes frías, apoyé los codos en mi mesa y paré tal que cualquiera me hubiera reconocido por escritor público en tiempo de libertad de imprenta, o me hubiera tenido por miliciano nacional citado para un ejercicio. Ora vagaba mi vista sobre la multitud de artículos y folletos que yacen empezados y no acabados ha más de seis meses sobre mi mesa y de que sólo existen los títulos, como esos nichos preparados en los cementerios que no aguardan más que el cadáver; comparación exacta, porque en cada artículo entierro una esperanza o una ilusión. Ora volvía los ojos a los cristales de mi balcón; veíalos empañados y como llorosos por dentro: los vapores condensados se deslizaban a manera de lágrimas a lo largo del diáfano cristal; así se empaña la vida, pensaba; así el frío exterior del mundo condensa las penas en el interior del hombre; así caen gota a gota las lágrimas sobre el corazón. Los que ven de fuera los cristales, los ven tersos y brillantes; los que ven sólo los rostros, los ven alegres y serenos...

Haré merced a mis lectores de las más de mis meditaciones; no hay periódicos bastantes en Madrid, acaso no hay lectores bastantes tampoco. Dichoso el que tiene oficina, dichoso el empleado aun sin sueldo o sin cobrarlo, que es lo mismo: al menos no está obligado a pensar, ¡puede fumar, puede leer la *Gaceta!*

¡Las cuatro! ¡La comida!, me dijo una voz de criado, una voz de entonación servil y sumisa; en el hombre que sirve hasta la voz parece pedir permiso para sonar. Esta palabra me sacó de mi estupor, e involuntariamente iba a exclamar como Don Quijote: "Come, Sancho, hijo, come tú que no eres caballero andante y que naciste para comer", porque al fin los filósofos, es decir, los desgraciados, podemos no comer, pero los criados de los filósofos... Una idea más luminosa me ocurrió: era día de Navidad. Me acordé de que en sus famosas saturnales los romanos trocaban los papeles y que los esclavos podían decir la verdad a sus amos. Costumbre humilde, digna del cristianismo. Miré a mi criado y dije para mí: Esta noche me dirás la verdad. Saqué de mi gaveta unas monedas: tenían el busto de los monarcas de España; cualquiera diría que son retratos; sin embargo, eran artículos de periódico. Las miré con orgullo: come y bebe de mis artículos, añadí con desprecio; sólo en esa forma, sólo por medio de esa estratagema se pueden meter los artículos en el cuerpo de ciertas gentes. Una risa estúpida se dibujó en la fisonomía de aquel ser que los naturalistas han tenido la bondad de llamar racional sólo porque lo han visto hombre. Mi criado se rió. Era aquella risa el demonio de la gula que reconocía su campo.

Tercié la capa, calé el sombrero y en la calle.

¿Qué es un aniversario? Acaso un error de fecha. Si no se hubiera compartido el año en trescientos sesenta y cinco días, ¿qué sería de nuestros aniversarios? Pero al pueblo le han dicho: Hoy es un aniversario, y el pueblo ha respondido: Pues si es un aniversario, comamos y comamos doble. ¿Por qué come hoy más que ayer? O ayer pasó hambre u hoy pasará indigestión. Miserable humanidad destinada siempre a quedarse más acá o a ir más allá.

Hace mil ochocientos treinta y seis años nació el Redentor del mundo, nació el que no reconoce principio; y el que no reconoce fin, nació para morir. Sublime misterio.

¿Hay misterio que celebrar? Pues comamos, dice el hombre; no dice: Reflexionemos. El vientre es el encargado de cumplir con las grandes solemnidades. El hombre tiene que recurrir a la materia para pagar las deudas del espíritu. ¡Argumento terrible en favor del alma!

Para ir desde mi casa al teatro es preciso pasar por la plaza tan indispensablemente como es preciso pasar por el dolor para ir desde la cuna al sepulcro. Montones de comestibles acumulados, risa y algazara, compra y venta, sobras por todas partes y alegría. No pudo menos de ocurrirme la idea de Bilbao; figuróseme ver de pronto que se alzaba por entre las montañas de víveres una frente altísima y extenuada: una mano seca y roída llevaba a una boca cárdena y negra de morder cartuchos un manojo de laurel sangriento. Y aquella boca no hablaba. Pero el rostro entero se dirigía a los bulliciosos liberales de Madrid que traficaban. Era horrible el contraste de la fisonomía escuálida y de los rostros alegres. Era la reconvención y la culpa, aquélla agria y serena, ésta indiferente y descarada.

Todos aquellos víveres han sido aquí traídos de distintas provincias para la colación cristiana de una capital. En una cena de ayuno se come una ciudad a las demás.

¡Las cinco! Hora del teatro: el telón se levanta a la vista de un pueblo palpitante y bullicioso. Dos comedias de circunstancias, o yo estoy loco. Una representación en que los hombres son mujeres y las mujeres hombres. He aquí nuestra época y nuestras costumbres. Los hombres ya no saben sino hablar como las mujeres, en congresos y corrillos. Y las mujeres son hombres, ellas son las únicas que conquistan. Segunda comedia: un novio que no ve el logro de su esperanza; ese novio es el pueblo español; no se casa con un solo gobierno con quien no tenga que reñir al día siguiente. Es el matrimonio repetido al infinito.

Pero las orgías llaman a los ciudadanos. Ciérranse las puertas, ábrense las cocinas. Dos horas, tres horas, y yo rondo de calle en calle a merced de mi pensamiento. La luz que ilumina los banquetes viene a herir mis ojos por las rendijas de los balcones, el ruido de los panderos y de la bacanal que estremece los pisos y las vidrieras se abre paso hasta mis sentidos y entra en ellos como cuña a mano, rompiendo y desbaratando.

Las doce van a dar: las campanas que ha dejado la junta de enajenación en el aire, y que en estar todavía en el aire se parece a todas nuestras cosas, citan a los cristianos al oficio divino. ¿Qué es esto? ¿Va a expirar el 24 y no me ha ocurrido en él más contratiempo que mi mal humor de todos los días? Pero mi criado me espera en mi casa; como espera la cuba al catador, llena de vino; mis artículos hechos moneda, mi moneda hecha

mosto, se ha apoderado del imbécil como imaginé, y el
asturiano ya no es un hombre: es todo verdad.

Mi criado tiene de mesa lo cuadrado y el estar en talla
al alcance de la mano. Por tanto, es un mueble cómodo;
su color es el que indica la ausencia completa de aquello
con que se piensa, es decir, que es bueno; las manos se
confundirían con los pies si no fuera por los zapatos y
porque anda casualmente sobre los últimos; a imitación
de la mayor parte de los hombres, tiene orejas que están
a uno y otro lado de la cabeza como los floreros en una
*consola*, de adorno, o como los balcones figurados, por donde no entra ni sale nada; también tiene dos ojos en la
cara; él cree ver con ellos. ¡Qué chasco se lleva! A pesar
de esta pintura, todavía sería difícil reconocerle entre la
multitud, porque al fin no es sino un ejemplar de la grande edición hecha por la Providencia de la humanidad y
que yo comparo de buena gana con las que suelen hacer
los autores: algunos ejemplares de regalo finos y bien
empastados; el surtido todo igual, ordinario y a la rústica.

Mi criado pertenece al surtido. Pero la Providencia,
que se vale para humillar a los soberbios de los instrumentos más humildes, me reservaba en él mi mal rato
del día 24. La verdad me esperaba en él y era preciso
oírla de sus labios impuros. La verdad es como el agua
filtrada, que no llega a los labios sino al través del cieno.
Me abrió mi criado, y no tardé en reconocer su estado.

—Aparta, imbécil —exclamé, empujando suavemente aquel
cuerpo sin alma que en uno de sus columpios se venía
sobre mí—. ¡Oiga!, está ebrio. ¡Pobre muchacho! ¡Da
lástima!

Me entré de rondón a mi estancia; pero el cuerpo me
siguió con un rumor sordo e interrumpido; una vez dentro los dos, su aliento desigual y sus movimientos violentos apagaron la luz; una bocanada de aire colada por la
puerta al abrirme cerró la de mi habitación y quedamos
dentro casi a oscuras yo y mi criado, es decir, la verdad
y Fígaro, aquélla en figura de hombre beodo arrimado
a los pies de mi cama para no vacilar y yo a su cabecera,
buscando inútilmente un fósforo que nos iluminase.

Dos ojos brillaban como dos llamas fatídicas enfrente
de mí: no sé por qué misterio mi criado encontró entonces y de repente voz y palabras, y habló y raciocinó; mis-
terios más raros se han visto acreditados; los fabulistas
hacen hablar a los animales, ¿por qué no he de hacer yo
hablar a mi criado? Oradores conozco yo de quienes hace
algún tiempo no hubiera hecho yo una pintura más favorable que de mi astur, y que han roto, sin embargo, a

hablar, y los oye el mundo y los escucha, y nadie se admira.

En fin, yo cuento un hecho: tal me ha pasado; yo no escribo para los que dudan de mi veracidad; el que no quiera creerme puede doblar la hoja. Eso se ahorrará tal vez de fastidio; pero una voz salió de mi criado, y entre ella y la mía se estableció el siguiente diálogo:

—Lástima —dijo la voz, repitiendo mi piadosa exclamación—. ¿Y por qué me has de tener lástima, escritor? Yo a ti, ya lo entiendo.

—¿Tú a mí? —pregunté sobrecogido ya por un terror supersticioso.

Y es que la voz empezaba a decir verdad.

—Escucha: tú vienes triste como de costumbre; yo estoy más alegre que suelo. ¿Por qué ese color pálido, ese rostro deshecho, esas hondas y verdes ojeras que ilumino con mi luz al abrirte todas las noches? ¿Por qué esa distracción constante y esas palabras vagas e interrumpidas de que sorprendo todos los días fragmentos errantes sobre tus labios? ¿Por qué te vuelves y te revuelves en tu mullido lecho como un criminal, acostado con su remordimiento, en tanto que yo ronco sobre mi tosca tarima? ¿Quién debe tener lástima a quién? No pareces criminal; la justicia no te prende, al menos; verdad es que la justicia no prende sino a los pequeños criminales, a los que roban con ganzúas o a los que matan con puñal; pero a los que arrebatan el sosiego de una familia seduciendo a la mujer casada o a la hija honesta, a los que roban con los naipes en la mano, a los que matan una existencia con una palabra dicha al oído, con una carta cerrada, a ésos ni los llama la sociedad criminales ni la justicia los prende porque la víctima no arroja sangre ni manifiesta herida, sino agoniza lentamente consumida por el veneno de la pasión que su verdugo le ha propinado. ¡Qué de tísicos han muerto asesinados por una infiel, por un ingrato, por un calumniador! Los entierran; dicen que la cura no ha alcanzado y que los médicos no la entendieron. Pero la puñalada hipócrita alcanzó e hirió el corazón. Tú, acaso, eres de esos criminales y hay un acusador dentro de ti, y ese frac elegante, y esa media de seda, y ese chaleco de tisú de oro que yo te he visto son tus armas maldecidas.

—Silencio, hombre borracho.

No; has de oír al vino, una vez que habla. Acaso ese oro, que a fuer de elegante has ganado en tu sarao y que vuelcas con indiferencia sobre tu tocador, es el precio del honor de una familia. Acaso ese billete que desdoblas es un anónimo embustero que va a separar de ti para

siempre la mujer que adorabas; acaso es una prueba de
la ingratitud de ella o de su perfidia. Más de uno te he
visto morder y despedazar con tus uñas y tus dientes en
los momentos en que el buen tono cede el paso a la pasión
y a la sociedad.

Tú buscas la felicidad en el corazón humano, y para
eso le destrozas, hozando en él, como quien remueve la
tierra en busca de un tesoro. Yo nada busco, y el desengaño no me espera a la vuelta de la esperanza. Tú eres
literato y escritor; y qué tormentos no te hace pasar tu
amor propio, ajado diariamente por la indiferencia de
unos, por la envidia de otros, por el rencor de muchos.
Preciado de gracioso, harías reír a costa de un amigo, si
amigos hubiera, y no quieres tener remordimiento. Hombre de partido, haces la guerra a otro partido: o cada
vencimiento es una humillación, o compras la victoria demasiado cara para gozar de ella. Ofendes y no quieres
tener enemigos. ¡A mí quién me calumnia! ¿Quién me conoce? Tú me pagas un salario bastante a cubrir mis necesidades; a ti te paga el mundo como paga a los demás
que le sirven. Te llamas liberal y despreocupado, y el día
que te apoderes del látigo azotarás como te han azotado.
Los hombres de mundo os llamáis hombres de honor y
de carácter, y a cada suceso nuevo cambiáis de opinión,
apostatáis de vuestros principios. Despedazado siempre
por la sed de gloria, inconsecuencia rara, despreciarás
acaso a aquellos para quienes escribes y reclamas con el
incensario en la mano su adulación: adulas a tus lectores
para ser de ellos adulado, y eres también despedazado por
el temor, y no sabes si mañana irás a coger tus laureles
a las Baleares o a un calabozo.

—¡Basta, basta!

—Concluyo: yo, en fin, no tengo necesidades; tú, a pesar de tus riquezas, acaso tendrás que someterte mañana
a un usurero para un capricho innecesario, porque vos-
otros tragáis oro, o para un banquete de vanidad en que
cada bocado es un tósigo. Tú lees día y noche buscando
la verdad en los libros hoja por hoja, y sufres de no encontrarla ni escrita. Ente ridículo, bailas sin alegría;
tu movimiento turbulento es el movimiento de la llama,
que sin gozar ella quema. Cuando yo necesito de mujeres echo mano de mi salario, y las encuentro, fieles por
más de un cuarto de hora; tú echas mano de tu corazón
y vas y lo arrojas a los pies de la primera que pasa, y
no quieres que lo pise y lo lastime, y le entregas ese
depósito sin conocerla. Confías tu tesoro a cualquiera por
su linda cara, y crees porque quieres; y si mañana tu

tesoro desaparece llamas ladrón al depositario, debiendo llamarte imprudente y necio a ti mismo.

—¡Por piedad, déjame, voz de infierno!

—Concluyo; inventas palabras y haces de ellas sentimientos, ciencias, artes, objetos de existencia. ¿Política, gloria, saber, poder, riqueza, amistad, amor? Y cuando descubres que son palabras, blasfemas y maldices. En tanto el pobre asturiano come, bebe y duerme, y nadie le engaña, y si no es feliz, no es desgraciado, no es al menos hombre de mundo, ni ambicioso, ni elegante, ni literato, ni enamorado. Ten lástima ahora al pobre asturiano. Tú me mandas, pero no te mandas a ti mismo. Tenme lástima, literato. Yo estoy ebrio de vino, es verdad; pero ¡tú lo estás de deseos y de impotencia...!

Un ronco sonido terminó el diálogo; el cuerpo cansado del esfuerzo había caído al suelo; el órgano de la Providencia había callado y el asturiano roncaba. ¡Ahora te conozco —exclamé— día 24!

Una lágrima preñada de horror y de desesperación surcaba mi mejilla ajada ya por el dolor. A la mañana amo y criado yacían, aquél en el lecho, éste en el suelo. El primero tenía todavía abiertos los ojos y los clavaba con delirio y con delicia en una caja amarilla, donde se leía *mañana*. ¿Llegará ese *mañana* fatídico? ¿Qué encerraba la caja? En tanto la *Noche buena* era pasada y el mundo todo, a mis barbas, cuando hablaba de ella, la seguía llamando *Noche buena*.

1836.

## ABEN-HUMEYA

*Drama histórico en tres actos, nuevo en estos teatros*

Su autor, DON FRANCISCO MARTÍNEZ DE LA ROSA

No hace muchos días que anunciamos la próxima representación de esta obra de un ingenio distinguido ciertamente en nuestra literatura moderna por sus obras anteriores, en las cuales ha adquirido lauros muy lisonjeros como erudito, como escritor didáctico, como hablista, y aun como poeta; al anunciarla no quisimos en manera alguna prevenir el juicio del público, y sólo nos ceñimos a exponer que se había representado ya en París, y la especie de éxito de urbanidad y galantería que en aquella capital había logrado.

Parece, sin embargo, que nosotros no estábamos bien informados; posteriormente hemos visto y aun leído en

el anuncio que del *Aben-Humeya* ha hecho la empresa
de estos teatros, que *en los de París fué recibido con en-*
*tusiásticos aplausos, y coronado con los honores del más*
*positivo triunfo.* Así sería, y nosotros nos apresuramos
a dar la enhorabuena al autor y al drama; no se la hemos dado antes, porque no sabíamos lo que en París
había ocurrido. Pero después de leído el cartel, el cual
debe saberlo como saben los carteles esas cosas, sería
imperdonable en nosotros el menor asomo de duda; apre-
ciando como apreciamos al autor, es para nosotros un
alegrón el haber rectificado por esta vez nuestros erró-
neos datos; en lo sucesivo no nos volverá a suceder decir
que no gustó en París; quedamos plenamente convencidos
de que *Aben-Humeya* ha llegado a *nosotros precedido de*
*una gran reputación adquirida dentro y fuera de España,*
es decir, europea.

Es verdad que en París no se ha representado demasiado el *Aben-Humeya;* y esto es claro; era preciso hacer
de él, en atención a su mucho mérito, una gran distinción
que lo diferenciase esencialmente de las demás cosas que
gustan en aquel París, y como a cualquier drama que gusta le sucede representarse mucho, no quedaba más medio
de distinguirlo que representarlo poco.

Y en Madrid ¿qué ha sucedido? Lo mismo que en París.

Ya muchas veces nos hemos quejado de la posición
difícil en que se encuentra el periodista que tiene que
juzgar a un hombre de mérito generalmente reconocido;
bien se puede dar el caso que un hombre de un gran
talento haga un drama de muy poco valor; esas cosas
se ven todos los días; pero siempre corre el riesgo de
parecer arrogante o envidioso el que acomete con un juicio crítico de un ingenio como el autor de *Aben-Humeya,*
no estando como no estamos nosotros precedidos, ni aun
seguidos, de ninguna especie de reputación adquirida dentro ni fuera de España.

Por esta vez, y bien considerado el *Aben-Humeya,* no
corremos riesgo maldito de parecer envidiosos, por más
que haya gustos que requieran palos. Pero en trueque
tenemos otro tropiezo que nos detiene muy mucho. Cuando además de ser el autor hombre de pro en literatura,
ha sido hombre de valía, políticamente hablando, es decir, cuando es ex ministro, es fuerza andarse con mucho
tiento para decirle la verdad, si ésta es amarga. Siempre
puede llevar visos la crítica de parcialidad. Por eso, si
nosotros fuésemos capaces de desear que volviese a ser
ministro el señor Martínez de la Rosa, sería en esta ocasión, en que quisiéramos poder aparecer independientes,
**y** decir francamente lo que de *Aben-Humeya* pensamos.

El autor nos pone en el más duro compromiso. Cuando era ministro popular daba al teatro sus mejores dramas, y obligándonos a alabárselos, nos ponía en el aprieto de parecer aduladores; y ahora que no es ministro empieza a dar lo peores, poniéndonos igualmente en el amargo trance de parecer enemigos suyos. Esto es por su parte poco generoso.

Resignémonos, sin embargo, con nuestra suerte, y evitemos con nuestra indulgencia toda murmuración y todo juicio temerario. Cuando escribimos *indulgencia*, no queremos decir que daremos torcedor a nuestra conciencia, no; la crítica debe ser muy severa con los que se presentan y pasan en el mundo por modelos, para evitar que los que empiezan imiten sus defectos; sino es nuestro propósito advertir que será más lo que de nuestra opinión callemos, que lo que digamos.

Conocido es el asunto histórico escogido por el autor, y tanto que fuera ridícula ostentación de eruditos disertar largamente sobre él; nosotros no estamos encargados de juzgar la Historia, sino el drama. Desde luego, confesamos la predilección con que miramos siempre ese género. En otra ocasión hemos probado, y hablando, si mal no se nos acuerda, del mismo autor, que el drama histórico es la única tragedia moderna posible, y que lo que han llamado los preceptistas tragedia clásica, no es sino el drama histórico de los antiguos.

Dos géneros de composición pondríamos al frente de la literatura dramática: 1.º, los hechos gloriosos, o los funestos resultados de los extravíos de las pasiones, fundados en la verdad, que los hace ejemplos irrecusables, presentados a los hombres o para su imitación o para su escarmiento; éste es el drama histórico, o la tragedia antigua, no variando en las formas por caprichos de escuelas, sino por la variación que la diferencia de creencias y preocupaciones de costumbres y de leyes hace imperiosa en la literatura; 2.º, los vicios o ridiculeces personificados y fundados en la verosimilitud que les sirve de verdad, presentados para lección o deleite; ésta es la comedia dicha clásica, y caída en desuso por las formas estrechas y lánguidas en que la han querido encerrar los preceptistas; pero susceptible, en nuestro entender, de nuevo interés, y de ninguna manera agotada, como se dice vulgarmente.

El cuento fantástico, hijo de la imaginación del autor, y en que no se deducen los hechos imperiosa y precisamente de los datos admitidos en la base del argumento, ese hecho inventado y vestido en forma de drama, en el cual el espectador puede concebir a cada acción otra consecuencia que la que le atribuye el ingenio, ése que no tiene verdad histórica en su favor que convenza, ni más verosimilitud que una concesión gratuita, ése es el verdadero género bastardo.

Y en cuanto a las disputas de las escuelas y pandillas, como las vemos estribar, más que en el fondo, en las formas, nos será permitido reírnos de ellas, en atención a que creemos que las formas son variables hasta el infinito, porque siempre habrán de seguir la indicación del espíritu de la época. El poeta escribe para ser entendido, y mal pudiera serlo el que no se sujetase al lenguaje, al modo que tienen de revestir sus ideas aquellos que han de aplaudirlo o censurarlo.

Suele tener el drama histórico el inconveniente de dar destruído el interés al espectador que conoce ya el desenlace de antemano, y el no menor de hacer hablar personajes de quien ya la imaginación se ha formado una idea, difícil de superar por el poeta; sólo el artificio y el gran talento del autor y la elección de un hecho, aunque histórico, algo oscuro, pueden hacer triunfar el ingenio. En el argumento de *Aben-Humeya* el autor ha huído perfectamente de esas dificultades. Pero, en cuanto al artificio, poco feliz nos parece haber estado, y de esto se convencerá cualquiera por poco que medite el plan.

Los moriscos de las Alpujarras se rebelan en el reinado de Felipe II, y eligen por jefe a Aben-Humeya, último vástago de la antigua dinastía; degüellan a los cristianos que alcanzan en un limitado espacio de terreno, y se constituyen independientes. Muley-Carime, suegro de Aben-Humeya, reprende y ataca los excesos; dos de los principales rebeldes desaprueban la precipitación con que se eligen rey antes de tener reino, y la arrogancia con que el elegido acepta el prestigio y la autoridad real. Aprovéchanse de la blandura de su suegro para desacreditarle y tildarle de traidor a los ojos del vulgo, fácil de fascinar, envolviendo a Aben-Humeya en la ruina de su deudo.

El capitán general de Granada envía a Lara a intimar la rendición a los rebeldes; Lara es asesinado, y sobre él se encuentran pruebas de las relaciones que conserva Muley-Carime con los castellanos. Aben-Humeya, en la alternativa de castigar a su suegro o perderse con él, le envenena, pero tarde: la facción contraria se ha apoderado ya de su palacio, y Aben-Humeya perece víctima de la sedición.

Pobrísimo es el artificio, ningún interés presenta, ningún resorte dramático, ni nuevo ni viejo. Una sola escena hay en él, aquella en que Aben-Humeya echa en cara a

Muley su delito; ninguna pasión domina, ningún carácter prepondera, ningún hecho importante se desenvuelve; del estilo mismo es generalmente inferior a otras obras del autor: ¿dónde está el fuego de la creación?

Y vamos a lo más importante. Un personaje histórico oscuro no puede ser digno del teatro sino cuando sus hechos llevan envueltos en sí el éxito o la ruina de la causa pública. Pero, ¿cuál es aquí la causa pública?, ¿cuál es la lección moral o política que ha querido darnos el autor con la muerte de Aben-Humeya? Si hubiera probado que los moros rebeldes perdieron su causa por la desunión que dejaron introducirse entre ellos, grande objeto era éste, y aun oportuno; pero para eso era preciso haber continuado el drama, era preciso habernos dado el resultado de la tal desunión. Porque habiéndolo dejado en la muerte de Aben-Humeya, la lección que resulta es que cuando uno quiere ser rey no debe tener por suegro a un moro que escriba a un cristiano. ¡Profunda lección por cierto! Por tanto, *Aben-Humeya* no es un drama hecho, sino una exposición de un drama por hacer. Si hubiera empezado por donde acaba, el autor hubiera tal vez llegado a hacer un drama. ¿Por qué se acaba en el tercer acto y no continúa? Si el objeto es Aben-Humeya, represente una pasión, un carácter, una situación; si no, ¿quién es él, y qué significa su muerte para ocuparnos una noche entera? Si es la rebelión morisca, ¿qué importa que muera Aben-Humeya?

En la manera de buscar los efectos teatrales nótanse medios ya explotados por el autor y por otros. En el primer acto varios conjurados se quejan diciendo cada uno una frase a su vez, como en *La conjuración de Venecia*. La elección de *Aben-Humeya* nos recuerda el *Pelayo* de Quintana; la degollación de los cristianos en el templo y una conjuración estallando en medio de una diversión popular, entre gente sencilla, ajena de que la muerte está tan cerca de la vida, y el dolor del placer, es contraste ya presentado en *La conjuración*. En el diálogo igual afectación de sensibilidad y ternura, igual afectación de sencillez que degenera a veces en trivialidad, como el *déjame*, que en tono de marido dice a su cansada mujer Aben-Humeya, y que arrancó risas. No pasaremos, sin embargo, en silencio el elogio debido a un efecto teatral bien entendido, como es el sonido de la campana de los cristianos, aprovechando para inflamar los ánimos por Aben-Humeya en la cueva. Empero ¡bueno fuera que autor de tanto ingenio no hubiera acertado a producir en todo un largo drama cosa alguna que de alabar fuese!

Después de lo que llevamos expuesto, fácil es conocer
que no creemos que *Aben-Humeya* dé gloria alguna a su
autor. Felizmente tiene obras que le han colocado ya en
un puesto muy distinguido; y nosotros, por su gloria
misma, no quisiéramos que le hubiese dado la importancia de escribirlo de nuevo en castellano, una vez que ya
en francés había salido flojillo, como el santo de Zamo-
ra, cuya historia tenemos contada en uno de nuestros
antiguos artículos. Porque no faltará malicioso que a
propósito de eso recuerde el soneto célebre contra una
composición escrita por Lope en cuatro lenguas, que empieza:

> Hermano Lope, bórrame el sone-
> de versos de Ariosto y Garcila-

y concluye:

> Y en cuatro lenguas no me escribas co-
> que supuesto que dices boberí-
> te vendrán a entender cuatro nacio-

No seremos nosotros los que hagamos tal aplicación,
si bien, por otra parte, ¿quién pudiera darse por ofendido de participar de las vicisitudes de Lope?

Háse puesto en escena *Aben-Humeya* con un esmero
digno de mejor drama, y no han contribuído poco a en-
tretener a los espectadores el país nevado, el órgano, los
villancicos, la cueva, los muchos moros que andaban por
aquellas sierras, el palacio y el negro, improvisados de
Aben-Humeya, el nuevo telón de intermedios, presentado
con tanta coquetería, y tan buenos efectos de luz.

Por esta vez la empresa merece los mayores elogios,
y no se los queremos escasear. No ha sido tan buena la
representación, si se exceptúa al señor Latorre. Romea
mayor no ha entendido el papel, y le ha hecho sin dignidad ni color; mucho sentimos dar este disgusto a un actor
que tan frecuentemente se hace acreedor a nuestros elogios. Y resumiendo nuestra opinión, concluiremos diciendo que al acabarse la función sale uno todavía con deseos de drama, a cuyo propósito contaremos al autor, si
nos lo permite, una anécdota que nos hizo reír la primera
vez que la oímos.

Un periodista francés, hombre de mérito y buen gusto,
andaba perseguido por un conocido suyo, que estaba em-
peñado en llevarlo a comer a su casa. Era el periodista
gastrónomo además, y no hubo de parecérselo tanto el
obsequioso anfitrión. Rehuía, pues, cuanto le era posible
prestarse al ofrecimiento; escapósele empero un día decir que se iba a comer a la fonda delante del otro que

andaba acechando siempre una ocasión semejante. Fué forzoso pagar la imprudencia, y condescender aquel día. No se había engañado el periodista, y la comida fué reducida como las esperanzas. Toda ella se volvió platos de adorno, mudanzas de cubiertos, entremeses y ramilletes. Acabada que fué, quiso el anfitrión dar a su huésped una prueba de su buena voluntad, y díjole levantándose: *"Ya sabe usted la hora a que se come en casa, y lo que se come; cuando usted guste, podemos repetir este buen rato."* A lo cual respondió, sentándose de nuevo, el desgraciado, que se sentía vacío: *"¡Oh!, amigo mío, pues entonces, si a usted le parece, puede usted disponer que se repita ahora mismo."*

## NECROLOGÍA

### EXEQUIAS DEL CONDE DE CAMPO-ALANGE

#### DOMINGO 15 DE ENERO

> Vive el malvado atormentando, y vive;
> y un siglo entero de maldad completa;
> y el honrado mortal....................
> nace y deja de ser....................
>
> CIENFUEGOS

Ya hace días que se consumó el infausto acontecimiento que nos pone la pluma en la mano; pero por una parte el sentimiento ha apagado nuestra voz, y por otra no temíamos que el tiempo pasando amortiguase nuestro dolor.

Hoy se han celebrado en Santo Tomás de esta corte las exequias del conde de Campo-Alange; hoy sus deudos y sus amigos, y la patria en ellos, han tributado al amigo y al valiente el último homenaje que la vanidad humana rinde después de muerto al mérito, que en vida suele para oprobio suyo desconocer.

En buen hora el ánimo que se aturde en las alegrías del mundo, en buen hora no crea en Dios y en otra vida el que en los hombres cree, y en esta vida que le forjan; empero mil veces desdichado sobre toda desdicha quien no viendo nada aquí abajo sino caos y mentira, agotó en su corazón la fuente de la esperanza, porque para ese no hay cielo en ninguna parte, y hay infierno en cuanto le rodea. No es lícito dudar al desdichado, y es preciso no serlo para ser impío.

El rumor compasado y misterioso del cántico que la religión eleva al Criador en preces por el que fué, el melancólico son del instrumento de cien voces que atruena el templo llenándole de santo terror, el angustioso y sublime *De profundis*, agonizante clamor del ser que se refugió al seno de la creación, alma particular que se refunde en el alma universal, el último perdón pedido, la deprecación de la misericordia alzada al Dios de justicia, son algo al oído del desgraciado, cuando devueltos los sublimes ecos por las paredes de la casa del Señor, vienen a retumbar en el corazón, como suena el remordimiento en la conciencia, como retumba en el pecho del miedoso la señal del próximo peligro.

Desde la tumba no es ya a los hombres a quien pide el hombre misericordia; los hombres no tienen misericordia para el caído, y no dan su piedad sino al que no la necesita. En tan sublime momento no es a los hombres a quien pide el hombre justicia. Los hombres no prestan su justicia sino al fuerte contra el débil. A los pies del Altísimo no es ya a la opinión de los hombres a quien recurre el alma en juicio. La opinión de los hombres premia el mérito con calumnias. El odio le sigue y la persecución, como sigue la chispa eléctrica la cadena de hierro que la conduce.

¿Y no ha de haber un Dios y un refugio para aquellos pocos que el mundo arroja de sí como arroja los cadáveres el mar?

El conde de Campo-Alange ha muerto: una corta vida, pero de virtudes y de sacrificios, le ha sido más fecunda de gloria y de merecimiento que los cien años pasados por otros en la apatía o en la prevaricación. Su biografía es bien corta, las páginas de su historia pueden llenarse en breve; ¡pero ni una mancha en ellas! En la actual confusión que como a nuestras cosas y a nuestras ideas ha alcanzado a nuestra lengua, en la prodigalidad de epítetos que tan fácilmente aplicamos, parecerá nuestro elogio tibio; pero la verdad presidirá a él y el sentimiento de lo justo; tributo el más noble para la memoria del que nos lo merece, que acaso a ese único premio aspiraba, y a unas cuantas lágrimas sobre su tumba.

Donde son tan pocos los hombres que hacen siquiera su deber, ¿qué mucho será que el dictado de héroe se aplique diariamente a quien se distingue del vulgo haciendo el suyo? Llamamos patriota al que habla, y héroe al que se defiende. ¿Qué llamaremos un día al que nos salve, si alguien nos salva?

El conde de Campo-Alange no era un héroe como en menguados elogios lo hemos visto impreso. Nosotros creeríamos ofenderle o escarnecerle más que encomiarle con tan ridículos elogios. Ni había menester serlo para dejar

muy atrás al vulgo de los hombres entre quienes vivió.
Era un joven que hizo por principios y por afición, por
virtud y por nobleza de carácter, algo más que su deber;
dió su vida y su hacienda por aquello por que otros se
contentan con dar escándalo y voces. Amaba la libertad,
porque él, noble y generoso, creyó que todos eran como él
nobles y generosos; y amaba la igualdad, porque, igual
él al mejor, creía de buena fe que eran todos iguales a
él. Inclinado desde su más tierna edad al estudio, pasó
sobre los libros los años que otros pasan en cursar la
intriga, y en avezarse a las perfidias de la sociedad en
que han de vivir. Español por carácter y por afición,
estudió y conoció su lengua y sus clásicos, y supo conciliar las aficiones patrias con ese barniz de buena educación y de tolerancia que sólo se adquiere en los países
adelantados, donde la civilización ha venido a convencer
a la sociedad de que para ella sólo las cosas, sólo los
hechos son algo, las personas nada. Conocedor de la literatura española y entendido por demás en las extranjeras, su afición a la carrera militar le llevó a asistir
al famoso sitio de Amberes, donde comenzó al lado de
experimentados generales a ejercitarse en las artes de la
guerra. De vuelta a su país, sus afectos personales, su
posición independiente, su mucha hacienda le convida-
ban al ocio y a la gloria literaria que a tan poca costa
hubiera podido adquirir. Pero su patria gemía despeda-
zada por dos bandos contrarios que algún día acaso se
harán mutuamente justicia. El corazón generoso del joven no pudo permanecer indiferente y dormido espectador
de la contienda. Alistado voluntariamente en las filas de
los defensores de la causa de la libertad y del Mediodía de
Europa, desenvainó la espada, y desgraciadamente para
no volverla a envainar. Casa, comodidades, lujo, porvenir, todo lo arrojó en la sima de la guerra civil, monstruo que aceptó el noble sacrificio, y que devoró por fin
aquella existencia, bien como ha devorado y devora diariamente la sangre de los pueblos y la felicidad, acaso
ya imposible, de la patria.

Distinguido por su pericia y su valor, no se contentó
con exponer su vida en los campos de batalla; la muerte
le dió más de un aviso, que desoyó noblemente. Herido
en jornadas gloriosas, fué ascendido al grado de coronel
sobre el campo de batalla, y entre los cadáveres mismos
que no hacían más que precederle algunos meses. Hizo
más: cuando una revolución no esperada, y de muchos
no aceptada, desarmó centenares de brazos, y entibió muchos pechos que creyeron deber distinguir el interés de
la patria del interés de un Gobierno que le había sido

impuesto accidentalmente, Campo-Alange llevó al extremo su generosidad, y creyó que no era su misión defender el Estatuto o la Constitución; en una o en otra forma de gobierno la libertad seguía siendo nuestra causa; Campo-Alange, demasiado noble para ser hombre de partido, se vió español y nada más, y no envainó la espada. No queremos ofender a nadie; pero si los demás que como él pensaban habían ofrecido hasta entonces su vida a la patria, él ofreció más, ofreció su opinión. Noble y tierno sacrificio que de nadie se puede exigir, pero que es fuerza agradecer. Y el que esto hacía no buscaba sueldos que no necesitaba, que cedía al erario, no buscaba honores, que en su propia cuna había encontrado sin solicitarlos al nacer.

No ofenderemos, ni aun después de su muerte, la modestia de nuestro amigo. Esa sencilla relación es el mayor elogio, es el epíteto más glorioso que podemos encontrar para su nombre.

¿Y cuándo cortó el plomo cobarde, disparado acaso por un brazo aún más cobarde, esa vida llena de desintereses y de esperanzas? Era preciso que la injusticia de la suerte fuese completa Era preciso que la ilustre víctima no columbrase siquiera el premio del sacrificio; hubiera sido para él una especie de compensación el haber expirado en Bilbao, y el haber oído el primer grito siquiera de aquella victoria, por la cual daba su sangre. Era preciso que quien tan noblemente se portaba llevase consigo al sepulcro la amargura de pensar que había sido inútil tanto sacrificio.

El conde de Campo-Alange expiró dejando sumas cuantiosas a los heridos como él, y desconfiando del propio triunfo a que con su muerte contribuía

Pero era justo: Campo-Alange debía morir. ¿Qué le esperaba en esta sociedad? Militar, no era insubordinado; a haberlo sido, las balas le hubieran respetado. Hombre de talento, no era intrigante. Liberal, no era vocinglero; literato, no era pedante; escritor, la razón y la imparcialidad presidían a sus escritos. ¡Qué papel podía haber hecho en tal caos y degradación!

Ha muerto el joven noble y generoso, y ha muerto creyendo: la suerte ha sido injusta con nosotros, los que le hemos perdido, con nosotros cruel; ¡con él misericordiosa!

En la vida le esperaba el desengaño; ¡la fortuna le ha ofrecido antes la muerte! Eso es morir viviendo todavía; pero ¡ay de los que le lloran, que entre ellos hay muchos a quienes no es dado elegir, y que entre la muerte

y el desengaño tienen antes que pasar por éste que por
aquélla, que esos viven muertos y le envidian!

Séale la tierra ligera. Si la memoria de los que en el
mundo dejó puede ser de consuelo para el que cesó de
ser, ¡nadie la llevó consigo más tierna, más justa, más
gloriosa!

1837.

# LOS AMANTES DE TERUEL

## Drama en cinco actos, en prosa y verso

### por Don Juan Eugenio Hartzenbusch

Venir a aumentar el número de los vivientes, ser un
hombre más donde hay tantos hombres, oír decir de sí:
es un *tal fulano*, es ser un árbol más en una alameda.
Pero, pasar cinco o seis lustros oscuros y desconocido, y
llegar una noche, entre otras, convocar a un pueblo, hacer tributaria su curiosidad, alzar una cortina, conmover
el corazón, subyugar el juicio, hacerse aplaudir y acla-
mar, y oír al día siguiente de sí mismo, al pasar por una
calle o por el Prado, *aquel es el escritor de la comedia
aplaudida,* eso es algo; es nacer; es devolver al autor de
nuestros días por un apellido oscuro un nombre claro;
es dar alcurnia a sus ascendientes en vez de recibirla de
ellos; es sobreponerse al vulgo, y decirle: *me has creído
tu inferior, sal de tu engaño; poseo tu secreto y el de tus
sensaciones, domino tu aplauso y tu admiración; de hoy
más no estará en tu mano despreciarme, medianía; ca-
lúmniame, aborréceme, si quieres, pero alaba.* Y conseguir esto en veinticuatro horas, y tener mañana un nombre, una posición, una carrera hecha en la sociedad, el
que quizá no tenía ayer donde reclinar su cabeza, es algo,
y prueba mucho en favor del poder del talento. Esta
aristocracia es por lo menos tan buena como las demás,
pues que tiene el lustre de la de la cuna, y pues que vale
dinero como la de la riqueza.

El drama que motiva estas líneas tiene en nuestro pobre juicio bellezas que ponen a su autor no ya fuera de
la línea del vulgo, pero que lo distinguen también entre
escritores de nota. Sinceramente le debemos alabanza, y
aquí citaremos de nuevo, como otras veces hemos hecho,
a los que de maldicientes nos acusan: solo se presenta
el autor de *Los amantes de Teruel,* sin pandilla literaria
detrás de él, sin alta posición que le abone; no le cono-

cemos; pero nosotros, *mordaces y satíricos*, contamos a dicha hacer justicia al que se presenta reclamando nuestro fallo, con memoriales en la mano, como *Los amantes de Teruel*. Si la indignación afila a veces nuestra pluma, corre sobre el papel más feliz y más ligera para alabar que para censurar.

No haremos de *Los amantes de Teruel* un análisis minucioso; vale en nuestro entender la pena de ser visto; y para quien no tenga la curiosidad de verle, ¿qué interés puede ofrecer nuestro artículo?

La historia de Isabel de Segura y de Diego Marsilla, legada por la tradición a la posteridad, y consignada en el poema y en los apuntes del escribano Yagüe, es popular, trivial casi en nuestro país; a más de una persona hemos oído deducir de esa trivialidad la imposibilidad de hacer con ella un buen drama. Tiempo es de alegar razones que rebatan esta opinión, puesto que nosotros no participamos de ella. El ingenio no consiste en decir cosas nuevas, maravillosas y nunca oídas, sino en eternizar, en formular las verdades más sabidas; que dos amantes se amen y muera uno por otro, es efectivamente idea tan poco nueva, que apenas hay comedia, anécdota o cuento cuya intriga no gire sobre la exageración o los excesos del amor; pero el ingenio no está en el asunto, sino en el autor que le trata; si en el asunto pudiera estar, la comedia de Montalbán, que trata la misma tradición, hubiera sido buena, o mala la de Hartzenbusch. Aquella es, sin embargo, una pobre trama salpicada de trivialidades y lugares comunes, y ésta es un destello de pasión y sentimiento.

¿Qué es Don Juan Tenorio, sino un disipado, seductor de mujeres, como mil se han presentado en el teatro antes y después de *El convidado de piedra*? Sin embargo, ¿por qué han quedado todos enterrados en la oscuridad con sus autores, y sólo *El convidado de piedra* se ha hecho europeo, universal?

¿Qué es un celoso, sino un ser común de que hay una muestra en cada intriga amorosa, y que cien poetas han pintado? ¿Por qué Otelo solo, y por qué sólo el celoso de Shakespeare ha traspasado su época y su teatro?

¿Qué es el Fausto de Goethe sino una idea al alcance de todo el mundo desenvuelta por un ingenio superior?

¿Qué es un loco y una manía para asombrar el mundo? Llenos están de ellos los hospitales y las novelas. ¿Por qué Cervantes sólo hace llegar el suyo a la posteridad?

¿Qué dice Molière cuando el *Bourgeois gentilhomme* cae en la cuenta de que toda su vida ha hablado prosa sin saberlo, más que una simpleza, que parece estar al

alcance de todo el que la oye, y que nadie, sin embargo,
ha dicho sino él?

¿Quién ignora que los goces acaban la vida, y que cada
deseo realizado se lleva una porción de nuestra existencia? ¿Ha sido, sin embargo, lo sabido de la idea un obstáculo para que Balzac se haya coronado de gloria con
*La Peau de Chagrin?*

El huevo de Colón es la parábola más significativa de
lo que hace el talento. Las verdades todas son triviales
y sabidas: es fuerza saberlas decir y presentar.

No hemos querido establecer comparaciones: no son
los coetáneos de una obra ni los críticos de periódicos los
que pueden fijar imparcialmente el puesto que ha de
ocupar en la biblioteca de la humanidad; la posteridad
sólo decide, y la sucesión de los tiempos, si la obra de
un ingenio está escrita en la lengua universal, y si ha
de abarcar el mundo. Sólo hemos querido probar que
la trivialidad del asunto no es obstáculo, sino que al paso
que es aumento de dificultad, es el primer síntoma de
verdadero talento.

*Los amantes de Teruel* está escrito en general con pasión, con fuego, con verdad.

La mayor dificultad que ofrecía el asunto era esa misma publicidad, ese amor colosal que la imaginación y la
tradición abultan hasta lo infinito. ¿Cómo persuadir al
auditorio que la *Amante de Teruel* podía dar su mano
a quien no fuese dueño de su corazón? Era preciso, sin
embargo, y no había más medio para eso que poner a
Isabel en posición tal, que sin menoscabarse en nada lo
sublime, lo ideal de su pasión, pudiese aparecer casada,
y casada voluntariamente, pues sólo voluntariamente puede casarse quien puede morir. El autor ha evitado este
escollo con raro tino, y ha encontrado el secreto de ese
resorte dramático en la misma virtud, en la perfección
misma de su protagonista, inventando un episodio be-
llísimo en la pasión criminal de la madre de Isabel; pre-
parada con tal discreción que cuando el espectador la
sabe, como llega a su noticia acompañada del castigo y
de las angustias del delito, hace más sublime a esa misma
madre; porque la sublimidad, en el teatro sobre todo,
no está en la perfección sin tacha, sino en la lucha de la
debilidad humana y de la virtud vencedora. Rodeada Isabel por todas partes, creída de que su amante la ha faltado, cumplido el plazo, obligada por el honor y la felicidad de su madre, que es deuda en ella conservar ilesos,
deudora de inmensos beneficios a Azagra, en sí misma
y en su familia, cede, no empero a la seducción o a la
inconstancia, sino al deber. Pero el marido que así abusa

de la posición de Isabel es un monstruo. No; porque el autor ha tenido la habilidad de pintar en él un afecto loco, y don Rodrigo no cede, abusando de Isabel, a un amor vulgar, sino a un sentimiento muy creíble para el espectador, que ya ha hecho la concesión del amor extraordinario de Isabel y Marsilla. En la excelente escena tercera del acto cuarto el público se reconcilia completamente con Azagra, y perdona los medios en gracia de su pasión violenta y desinteresada, que se contenta con el título de esposo. De esta suerte preside al drama no la maldad, repugnante siempre cuando se presenta en las tablas fría y estéril, sino la fatalidad, la hermosura misma de Isabel, que le acarrea sus desventuras todas.

Nunca se pudo decir con más razón.

¡Ay infeliz de la que nace hermosa!

Y esa fatalidad que preside al drama se halla exactamente fijada en los dos versos que dice Marsilla, tan amargos y enérgicos:

¡Maldito el hombre que virtudes siembra
para coger cosecha de desgracias!

Marsilla luchando a brazo partido, y solo, contra esa fatalidad, es una creación llena de valor y de entereza. Pobre, se enriquece; el amor de una mujer se atraviesa como un obstáculo insuperable a su felicidad; torna a su patria, y es despojado y detenido en el momento más crítico de su vida por unos bandidos que no pueden comprender, cuando le roban un tesoro, que le roban el tiempo, que es para él más que la vida; la venganza misma de esa mujer le salva, pero tarde. Isabel está casada, y él ha oído el eco de la campana que se lo anuncia; el crimen es su único recurso, y le cometerá; los hombres han sido un obstáculo, y los vencerá; un vínculo sagrado la priva de su bien. *Es sacrilegio*, responde, *es injusto*.

En presencia de Dios formado ha sido.
—Con mi presencia queda destruido.

Sublime respuesta de la pasión, tan sublime por lo menos como el famoso *Qu'il mourut* de Corneille, porque para la pasión no hay obstáculo, no hay mundo, no hay hombres, no hay más dios, en fin, que ella misma. ¡Sacrilegio sublime como el Ayax en Homero!

El autor ha sabido hacer interesantes a todos sus personajes, y esta verdad resultaría más palpable si el drama hubiera sido bien representado. El padre sacrifica a su hija, a su despecho, víctima del honor, bien diferente en aquel siglo del que en el día se usa; la madre sacrifica a su hija, no ya por sí, sino para salvar la honra y la tranquilidad de su esposo; su larga expiación lava su culpa; Isabel sacrifica su mano por salvar a su madre, en holocausto a su familia y a la gratitud; Azagra mismo y la mora enamorada sacrifican la dicha de los amantes, porque ellos también aman, y el amor es el sentimiento más egoísta. Si Isabel y Marsilla, sólo porque aman, tienen derecho a conseguir el objeto de su pasión ante los ojos del espectador, el mismo derecho tienen Azagra y la mora: su pasión disculpa sus acciones. Todos obran a un fin, y movidos por un resorte superior a ellos mismos. Y ese mismo amor que pudiera haber hecho dichosos a los amantes, es el único que desbarata su felicidad.

Hemos dicho que esta verdad resultaría más palpable si el drama hubiera sido mejor ejecutado. Sí, Azagra y la mora parecen odiosos porque no han expresado su pasión: sólo ésta puede disculpar los excesos; un amor vicioso y poco violento no autoriza a nada, y si lo que Azagra y la mora sienten no es más que un mero capricho o un empeño de amor propio, no es perdonable en ellos que perturben la dicha de los seres que saben amar mejor que ellos. Lo decimos con sentimiento, la señora Bravo no ha desempeñado su papel con fuego; y el señor Romea, a quien tantas veces hemos alabado, y a quien quisiéramos poder alabar siempre, ha hecho el de Azagra con tibieza. ¿Habrá creído acaso que es menos brillante que el de Marsilla? Nosotros juzgamos todo lo contrario: En Azagra se ofrecía la dificultad de una lucha constante entre la generosidad y la pasión; nos parece más fácil presentar al público un carácter de enamorado, siempre igual, siempre violento, que el de un amante despechado y no correspondido, que toma por fuerza la mano de una mujer.

Muchas bellezas del drama han pasado oscurecidas por faltas de la representación; sin embargo, haremos la justicia de decir que el señor Latorre ha hecho esfuerzos laudables, que la señora Baus ha descubierto un celo grande, y que la actriz encargada del papel de Isabel ha merecido algunos aplausos justos.

Una de las situaciones mejor imaginadas en el drama dependía enteramente de la ejecución: tal es el momento en que se muda la escena en el cuarto acto desde Teruel a sus inmediaciones, y en que después de haberse oído de cerca la campana de vísperas que anuncia la boda de Isabel, vuelve a resonar a lo lejos en un bosque donde los bandidos tienen atado al infeliz amante. Es imposible

además que se represente una escena peor que la han representado los tales bandidos: si no asesinan a Marsilla,
asesinan por lo menos al autor y el drama.

La versificación y el estilo nos han parecido excelentes; castizo el lenguaje y puro, y tanto en él como en la
representación y en los trajes bastante bien guardados
los usos y costumbres de la época.

Hemos oído culpar de largas y lánguidas varias escenas, confesando que algunas pudieran haberse descargado un tanto; ¿se nos permitirá poner a esta crítica un
reparo? En el teatro escenas cortas mal dichas, o dichas
de prisa, pueden parecer más largas que escenas realmente largas bien dichas y pronunciadas despacio. Y esto
no es una paradoja, porque lo que hace parecer larga
una escena no es su dimensión, sino la falta de interés;
y tanto vale que no le haya, como que la torpeza de los
actores se le quite, o le oscurezca. Cuando se da a cada
palabra su sentido, a cada idea su valor, encuentra el público una mina de sensaciones que le ocupan y le entre-
tienen y hacen desaparecer el tiempo, bien así como un
cuarto de hora pasado en compañía de un necio o de una
vieja regañona puede parecer un siglo al mismo hombre
a quien se le hace corto un día entero transcurrido al
lado de su amada, o en buena sociedad.

No quisiéramos que el autor hubiese creído necesario
recargar tanto en el papel de doña Margarita las excla-
maciones acerca de su delito; hubiéramos querido elimi-
nar algunas repeticiones inútiles de la palabra *adulterio*,
mal sonante, sobre todo delante de Isabel; existe un pudor
en el mismo corazón del culpable que le hace evitar
el nombre de su falta, y en la escena en que la madre
descubre la suya hubiera sido de más efecto que la hija
hubiese adivinado por medias palabras. No es lo que se
dice a veces lo que hace más efecto, sino lo que se calla
o se deja entender.

Algún otro lunar pudiéramos advertir; pero nos parece mejor dejarlo al propio discernimiento del autor,
que tan bueno le manifiesta; en nuestro humilde juicio,
las bellezas oscurecen los defectos; nosotros animamos
al poeta a proseguir la carrera que tan brillantemente
empieza, no ya como jueces de su obra, sino como émulos
de su mérito, como necesitados de sus producciones, y si
oyese repetir a sus oídos un cargo vulgar que a los
nuestros ha llegado, y que ni mentar hemos querido en
este artículo; si oyese decir que el final de su obra es
inverosímil, que el amor no mata a nadie, puede responder que es un hecho consignado en la historia; que los
cadáveres se conservan en Teruel, y la posibilidad en los

corazones sensibles; que las penas y las pasiones han
llenado más cementerios que los médicos y los necios;
que el amor mata (aunque no mate a todo el mundo)
como matan las ambiciones y la envidia, que más de una
mala nueva al ser recibida ha matado a personas robustas, instantáneamente y como un rayo; y aun será, en
nuestro entender, mejor que a ese cargo no responda,
porque el que no lleve en su corazón la respuesta, no
comprenderá ninguna. Las teorías, las doctrinas, los sistemas se explican: los sentimientos se sienten.